个人成功的第一推动力，人类

S0-AJI-488

情商

主宰人生

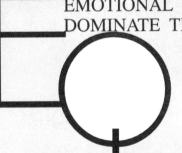

EMOTIONAL QUOTIENT
DOMINATE THE LIFE

一个人想成为什么，
他就会成为什么。
—— 萨 特

人类智能研究的最新成果表明，人生成功的方程式为20％的智商（IQ）＋80％的情商（EQ）＝100％的成功。最精确、最惊人的成就评量标准是情商（EQ），而不是智商（IQ）。智商的权威性正在动摇，情商成了主宰人生的最关键因素。事实也证明了，那些获得成功的人都是拥有较高情商的人。

李佳东 编著

海潮出版社

图书在版编目(CIP)数据

情商主宰人生/李佳东编著.—北京:海潮出版社,
2005

ISBN 7-80213-066-2

Ⅰ.情... Ⅱ.李... Ⅲ.情绪学–智力商数–通俗读物
Ⅳ.B842.6–49

中国版本图书馆 CIP 数据核字(2005)第 122888 号

`

情 商 主 宰 人 生

李佳东　编著

☆

海潮出版社出版发行　　　电话:(010)66969738

(北京市西三环中路 19 号　邮政编码:100841)

北京市荣海印刷厂印刷

开本:730×980 毫米　1/16　印张:15　字数:200 千字

2005 年 12 月第 1 版　2005 年 12 月第 1 次印刷

ISBN 7-80213-066-2

定价:23.80 元

前　言

　　自 1879 年现代心理科学成型之后，心理学家们便汲汲于研究一个人成功与快乐的关键因素。1915 年智商概念的诞生，让这方面的研究有了重大的突破，许多人因此认为，一个人成功与否，端视其智商而定。然而后来人们发现，智商虽然与一个人的学业表现有着不错的关系，但对于工作表现及社会成就，则最多只有 25% 的预测力，有些研究报告的数据甚至低至 4%。

　　也就是说，智商的高低并不能决定一个人的成就。于是自上世纪八十年代初期，心理学家们开始重新思考"智力"(Intelligence)的定义，期望能找出成功与幸福的真正关键。一连串的研究终于有了令人兴奋不已的重要成果，原来要想拥有卓越成就与幸福快乐，有另一些特质才是决定要素，那就是情商。

　　情商(Emotional Intelligence,EQ)一词，是 1991 年由美国耶鲁大学心理学家彼得·沙洛维和新罕布什尔大学的琼·梅耶首创的。在他们之前，1983 年美国哈佛大学的心理学家霍华德·加德纳在《精神状态》一书中提出，人有"多元智慧"，开启了情商学说的新智。把情商推向高潮的，依然是美国人，哈佛大学教授、《纽约时报》专栏作家、在心理学界并不知名的丹尼尔·高曼，1995 年推出《情商》一书，则更进一步地将情商的概念推广于世，并掀起了全世界的情商革命。依照高曼的情商说，包括情绪的自我认知、自我控制、自我驱策能力，对他人情绪的识别、移情及适度反应能力 5 个方面。

　　智商的发展有一半受限于天生遗传，然而情商的高低，却主要取决于后天学习的结果，因此情商的提升，可经由教育训练而达成。目前在欧美已有中小学以提升情商为主来设计课程，而在全世界的企业中，也正进行着许多的情商训练课程，以提升员工生产力，藉以提升企业竞争力，达到永续经营的企业目标。

　　美国一家很有名的研究机构调查了 188 个公司，测试了每个公司的高级主管的智商和情商，并将每位主管的测试结果和该主管在工作上的表现联系在一起进行分析。结果发现，对领导者来说，情商的影响力是智商的 9 倍。智商略逊的人如果拥有更高的情商指数，也一样能成功。

所有人都承认比尔·盖茨是个聪明人,而这份聪明更体现在他的情商上面。

当年"蓝色巨人"IBM 与盖茨初次合作,还是毛头小伙子的盖茨给了 IBM 一个几乎是白送的价格。借此,微软公司成功地与 IBM 合作,站在了巨人的肩上,一飞冲天。这个案例几乎成为 MBA 的经典。

分析一下,盖茨在这里运用的是经济学中"差别定价"的原理,即针对同一种商品,给不同的客户不同的价格。例如一款 Windows 操作系统,盖茨卖给美国政府可能是 10 美元,这样政府就会愿意与盖茨合作,在法律许可的范围内,给他提供一些便利。要是换成读者您呢? 对不起,1000 美元,不讲价,爱买不买。

"差别定价"是个需要智商就可以运用的策略,但是,当一个初出茅庐的创业者站在 IBM 的面前时, 能不能控制住内心的狂喜和贪婪,将这一策略运用出来呢? 要知道,IBM 是根本不会在乎几百万美元的啊!

很多年前,在 Windows 还不存在时,比尔·盖茨去请一位软件高手加盟微软,那位高手一直不予理睬。最后禁不住盖茨的"死缠烂打"同意见上一面,但一见面,就劈头盖脸讥笑说:"我从没见过比微软做得更烂的操作系统。"

盖茨没有丝毫的恼怒,反而诚恳地说:"正是因为我们做得不好,才请您加盟。"那位高手愣住了。盖茨的谦虚把高手拉进了微软的阵营,这位高手成为了 Windows 的负责人,终于开发出了世界上应用最普遍的操作系统。

有评价说,微软公司的掌门人比尔·盖茨并不是一个好的程序员,但是一个好的商人。换句话说,在盖茨成功的因素中,情商占了最主要的因素,否则的话,盖茨只能成为一名出色的程序员,而不是世界软件业的霸主。

如果要用数字来衡量智商和情商的话,那么对于比尔·盖茨而言,智商的价值是当初卖软件给 IBM 可能会得到的几百万美元,而情商的价值就是盖茨的全副身家,现在是以亿计算,将来还不知道有多少。

情商不是靠背书、考试能学到的。在中国传统考试模式的影响下,情商的培养受到了长期的忽视甚至忽略。

应试心态造成了不少中国学生每天拼命地读书,把追求好成绩当作唯一人生目标,没时间交朋友,忽略了人际关系的培养。而中国学校的"名次"造成了一种"零和"心态,每班只有一个第一名,学生都彼此当作竞争对手。这样的教育模式可能逐渐把学生培养成为情商很低的人。

在美国的中小学,有些作业,必须是和两三个同学合作才可以的,做不好的话,所有的合作者都会挨批评,荣辱与共,因此孩子之间有很强的合作意识。在中国,要是大家共同完成一份作业,老师会鼓励吗?家长如果要求老师不要把孩子的成绩排名贴在墙上,只说明学生大概的学习状况就行,老师能接受吗?如果学生提出,我想成为最好的我自己,而不是批量生产的没有个性的自己,家长和老师愿意吗?

我们没有能力批评现行的体制,但是如果你想要成功的话,就必须补上这一堂学校中没有的课。

本书不仅向读者介绍了情商的知识,还包括了相关的情商测试方法,但是在此提醒诸位读者,不要将对智商测试的概念不加修正的套用到情商测试中去。情商是复杂的,很难用一个简单的测试来判断一个人驾驭情绪的全部能力。同样,用一个简单的测试来考察一个人的智力也是可笑的做法。

情商不仅是自身的能力,更关系到别人如何看你、社会对你是否认同。完全的情商测试是一项全方位的意见调查,每个人都要得到上司、下属、合作者等各方面的评估,最后得到的若干份评估应该是一个别人眼中真实的你。这种评估如果是匿名的,就往往能获得更真诚的意见。

虽然在学校里没有类似的调查,但学生们仍然可以多听听老师、家长、同学的意见,挑选合适的目标来培养自己的情商。如果人际关系太差,可以定一个目标,每一个月交一个新朋友;如果自控能力不好或脾气太坏,可以请朋友在自己要发脾气时用约定的"密码"来提醒自己平静下来。

情商意味着:有足够的勇气面对可以克服的挑战、有足够的度量接受不可克服的挑战、有足够的智慧来分辨两者的不同。智商外多了个情商,缭绕心灵的云遮雾障中似多了一条蹊径。通向自我认知的道路上,辛劳跋涉的人们不时有所发现是可喜可贺的。

21世纪是情商的世纪,拥有卓越情商,也就能拥有新世纪全方位的成就。

目 录

情

商

目
录

情

商

第一章 情商的影响力

第1节 超越智商

情商对人的影响力超过80%

智商测验虽然广为大众接受,事实上很难正确无误地预测个人未来的成就,这是心理学上尽人皆知的秘密。就大多数人做一整体观察,智商的确有一定的意义:很多智商低的人都从事劳力工作,高智商者的薪水通常较高。但并不是毫无例外,甚至可能是"例外"多于一般情形。人生的成就至多只有20%归诸智商,80%则受其他因素影响。心理学家霍华·嘉纳(Howard Gardner)说过:"一个人最后在社会上占据什么位置,绝大部分取决于非智商因素,诸如社会阶层、运气等等。"

情商更重要

现代社会,情商越来越受到人们的重视。

2005年,北京航空航天大学专门招收尖子生的"特区班"——高等工程学院除了要对被录取的优秀学生进行单科考试外,还要通过答题形式测试进入该班尖子生的情商。副校长郑志明教授介绍,学校将会测试学生是否有发展的潜力、高素质的人才是否有团结协作的能力。

如果高考分数很高,但发展潜力不足,没有合作意识,有可能会被尖子班淘汰。

在上海,为了提高孩子的情商,家长不惜花两三千元让孩子上训练班,家长这样做的原因大多出于以下几方面:孩子太内向、孩子缺乏自律、孩子与老师、同学的关系处不好等。而情商训练的主要内容是,提升自信、提高表达能力、培养活泼开朗的性格、培养领导能力等。大多数家长对

于训练效果持肯定态度，讲述了孩子经过情商训练后处世能力的转变：

一位母亲有一次吵醒了睡梦中的孩子，孩子对母亲发了脾气，母亲生气地上班去了，不一会儿，却收到一条手机短信："妈妈，刚才对你不礼貌是我不好，但在睡梦中被人吵醒的滋味是很难受的，上班需要好心情，祝你开心。"

一位父亲在客人面前讲述自己孩子的缺点，客人走后，孩子轻声对父亲说："爸爸，以后请你不要当着客人的面这么说，如果你这么做的话，我会很难过的。"

还有一个阿姨在打电话时，不停地说着某个人的坏话，旁边的小外甥听在心里却没有说话，在他们出去理发时，外甥认真地告诉她："阿姨，你刚才那样背后说别人坏话，其实是不好的，是对别人的不尊重。"

可以预见，这些孩子通过情商培训，会有多么美好的人生前景！

2005年举行的第十届全国"华罗庚金杯"少年数学邀请赛上，几个带队的教练都表示：要想在这样的比赛中胜出，仅仅数学好还不行，还要语文好；只有智商高也不行，还得智商、情商兼备。连数学这样几乎可以靠之打天下的科目都离不开情商的辅助了。可见在整个社会领域内，情商的作用已经大大超过了智商。

美国前总统比尔·克林顿小时候智商很高，小学的时候就一直品学兼优，但是他并没有注意培养自己的情商。有一次学校把成绩单拿回来了，克林顿各项成绩都是A，也就是优秀，但是有一项成绩不是A，是D，哪一科呢？行为。为什么行为是D，老师是这样解释的：每次老师提问，比尔都会抢着回答，他智商高嘛，但是这样抢着回答，没给其他同学机会。给他打D这个分，就是提醒他一下，今后要注意要他改进。"给别人机会"，这已经超出了智商的范畴，只有情商高的人才懂得。

克林顿吸取了教训，当总统后，他提出了给一个人最高的奖赏是给一把钥匙，一把什么钥匙？开启未来成功大门的钥匙。这个钥匙是什么呢？奖学金。这就是给别人一个机会。美国人克林顿是高情商和高智商的结合，不仅是聪明，而且是非常聪明。

情绪控制的能力，也就是情商，包括如何激励自己愈挫愈勇；如何克制冲动延迟满足；如何调适情绪，避免因过度沮丧影响思考能力；如何设身处地为人着想，对未来永远怀抱希望。情商是很新的观念，不像智商已有近百年的历史，研究对象涵盖数百万人。目前我们还无法确切解释每个人的际遇如何受情商的影响，但就现有的资料来看，情商

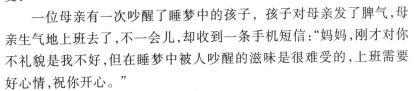

的确很重要,甚至比智商更重要。有人说经验与教育对提高智商效果有限,然而在用心的教导下,情商确实可通过学习加以改善。

在西欧,情绪和智能的"分家"有其很深的根源,可以一直追溯到古代。今天,时机已经成熟了,我们可以为情绪重新定位。举例来说,在心理学上经常谈论到"情绪的转变"。尤其是社会及健康心理学家们,早已肯定一向被漠视的"感觉"。他们认为,"感觉"对人类的经历及行为有一定的影响力。其中,较新的看法认为,分析力及理性的智能对生活的成就而言,只不过是排名第五位的影响因素罢了。而这种假设也不会再被当作毫无根据的神话。在现代社会学方面,所有伟大的成就——不管是牛顿的或是爱因斯坦的、黑森堡(Heisenberg)的还是派拉克(Planck)的——不能纯粹仅视为是伟大思想的成果,因为缺乏具有动力的情绪及"富有预感"的感觉或直觉,是绝对无法造就这一切的。

在生活的每一个层面都适用"感觉"的复兴,此自有其实用的理由及根据。人际关系日趋复杂的现代及未来社会中,谁要是能了解,行为不仅由脑袋里的知识性智能,而且也由其中的情绪智能作为导向,那么,不管是在工作上、事业领域抑或在私人的人际关系中,谁便拥有了额外的优势。事实上,如果没有情绪的力量来承担及塑造,思想是无法由历史也无法由个人发展出来的。

情商与智商

美国有一个叫泰德·卡因斯基的人,他 16 岁进哈佛,20 岁毕业。尔后在密执安大学获数学硕士、博士学位。接着,就到世界第一流的加州伯克利大学数学系任教。然而,卡因斯基虽然智力超群,但却从未培养自己的社会技能和情商。整个中学时期几乎见不到他的影子,他从不同任何人交往,更不能与人建立长久关系。在大学里,他也如此,人们送他一个绰号"哈佛隐士"。卡因斯基在制造炸弹方面有特殊才智。但他在社会方面却是低能儿,因长期压抑而导致心理异常。他不但对社会没有好的作用,并且用自己的炸弹杀死了 3 人,伤了 22 人。

智商与情商虽互异但不冲突,每个人都是两者的综合体,智商高而情商奇低,或智商低而情商奇高的人都很少见。事实上,智商与情商虽判断分明,二者之间确乎有一定的关联。

大家都很熟悉智力测验,但目前尚无所谓的情商测验,将来也可能不会有。今天有关情商的研究虽然日益丰富,但有些能力(如同情心)必须透过实况反应才能测验出来,例如让受测者从一个人的表情判读其情绪。不过仍然有人尝试比较智商与情商的差异。加州柏克莱大学心理学家杰克·布洛克(Jack Block)采用一种近似情商的"自我弹性"为标准,比较高智商与高情商型的差异,发现两者确有天壤之别。

纯粹高智商型几乎是一种夸大可笑的知识分子型,知识的巨人,生活的白痴,但男女略有差异。男性的特征是具有广泛的知识上的兴趣与能力,有抱负、有效率,呆板而顽固,不易为自身的问题困扰。此外也较骄傲好评断,一丝不苟,自我压抑,面对性与感官享乐无法获得,疏离而淡漠。

反之,情商很高的人多是社交能力极佳,外向而愉快,不易陷入恐惧或忧思,对人对事容易投入,通常较直,富同情心,情感生活通常较丰富但不逾矩,自处和处人都能恰然自安。

高智商的女性对自己的智力充满自信,善于表达自己的看法,具有广泛的知识与美学上的兴趣,通常较内向,好沉思,易焦虑愧疚,不易公开表达愤怒(通常用间接表达的方式)。

情商较高的女性较能直接表达感受,富自信,觉得生命有意义,和男性一样外向合群,能适度表达感觉(而不会突然爆发情绪但事后又懊悔),善于调适压力,容易结交新朋友,能表现幽默的创意,能坦然享受感官的经验。与高智商女性不同的是,这种人甚少觉得焦虑、愧疚而陷入忧思。

这几种典型当然是很极端的,多数人都是智商与情商的不同组合。但上面的叙述可帮助我们分析与了解个人的特质。而两者相较,情商仍是使我们成为完整个人的更重要因素。

要进一步探讨个人智能的训练,我们不能不看看继嘉纳之后的其他理论派别,其中最值得注目的是耶鲁的心理学家彼得·沙洛维(Peter Sa-lovey),他对情感与

第一章 情商的影响力

5

智能的结合方式有很精辟的见解。不过沙洛维并不是朝这个方向努力的第一个，即使是鼓吹智商最力的人士，偶尔也尝试将情感纳入智能的领域，而不认为情感与智能是相冲突的概念。知名心理学家宋戴克（E.L.Thorndike）对20世纪二三十年代智商观念的普及影响颇大，但他也曾在《哈泼》（Harper）杂志撰文阐释智商与情感之不可分。他指出社会智能本身便是智商的一部分。（所谓社会智能是指了解他人的思想行为，据以做出适度因应的能力。）另有一些心理学家则认为社会智能不过是操纵他人的技巧，亦即不顾他人的意愿，使其按照自己的意思行事。但这种关于社会智能的定义，未能为智商派的学者接受。到1960年某著名教科书甚至宣称社会智能的观念"毫无价值"。

但学者终究不能忽略人际智能的重要，因为人际智能根本上是直觉的常识。耶鲁心理学家罗伯特·史登博格（Robert Sternberg）曾做过一个实验，请一群人叙述何谓"聪明的人"，结果发现人际技巧是最重要的特质之一。史登柏格经过一番系统化的研究，得到的结论与宋戴克相同：社会智能有别于学院的智能，而且是实际生活表现的关键能力。以职业上极受重视的实际智能来说，管理者是否能观察入微地理解非语言的信息便很重要。

近年来愈来愈多的心理学家赞同嘉纳的看法，传统的智商观念都环绕着狭隘的语言与算术能力，智力测验的成绩最能直接预测的，其实是课堂上的表现或学术上的成就，至于学术以外的生活领域便很难触及。这些心理学家（包括史登柏格与沙洛维）扩大了智能的定义，尝试从整体人生成就的角度着眼，从而对个人或情商的重要性有了全新的评价。沙洛维为情商下基本定义时，涵盖了嘉纳的个人智能，继而扩充为五大类：

一、认识自身的情绪。认识情绪的本质是情商的基石，这种随时随刻认知感觉的能力，对了解自己非常重要。不了解自身真实感受的人必然沦为感觉的奴隶，反之，掌握感觉才能成为生活的主宰，面对婚姻或工作等人生大事较能知所抉择。

二、妥善管理情绪。情绪管理必建立在自我认知的基础上，即：如何自我安慰，摆脱焦虑、灰暗或不安。这方面能力较匮乏的人常须与低落的情绪交战，掌控自如的人则能很快走出生命的低潮，重新出发。

三、自我激励。无论是要集中注意力、自我激励或发挥创造力，将情绪专注于一项目标是绝对必要的。成就任何事情都要靠情感的自制

情
商

力——克制冲动与延迟满足。保持高度热忱是一切成就的动力。一般而言,能自我激励的人做任何事效率都比较高。

四、认知他人的情绪。同情心也是基本的人际技巧,同样建立在自我认知的基础上。第七章将探索这一种能力的根源,对他人的感受视若无睹的代价,以及利他精神与同情心的关系。具有同情心的人较能从细微的信息察觉他人的需求,这种人特别适于从事医护、教学、销售与管理的工作。

五、人际关系的管理。人际关系就是管理他人情绪的艺术。一个人的人缘、领导能力、人际和谐程度都与这项能力有关,充分掌握这项能力的人常是社会上的佼佼者。

当然,每个人在这些方面的能力不同,有些人可能很善于处理自己的焦虑,对别人的哀伤却不知从何安慰起。基本能力可能是与生俱来的,无所谓优劣之分,但人脑的可塑性是很高的,某方面的能力不足都可加以弥补或改善。

智商无大用

长久以来,人们一直将智商作为衡量一个人能力的重要标准。曾经有报道说,一些不负责任的老师和学校要求学习成绩比较差的孩子做智商测试,如果测出的智商较低,学生的成绩就可以不被计入总分,也就不会影响班级的平均分或者是学校的升学率。

可惜的是,报道并没有公布这些学生的智商测试成绩,是真的大都是智商70以下的"低智",还是出现了不少智商140以上的"神童"。

这种以智商之高低判断人成功与否的方法可行吗?答案是否定的。人之成功,情商的作用要多于智商。

宋代王安石有一篇著名的文章《伤仲永》,其中写道:"仲生几月,要文房四宝于其父,村之人皆奇之。待

其长,赋诗优于其乡人,其父喜,曰其子'天才'也。遂让永随己来往于乡间,终日以永之诗炫耀,并以此吃喝,却并不为其请明师而教之。至其成立,江郎才尽,与其乡人无异。岂不悲乎。"仲永天生才气比一般人多,才几个月就要文房四宝打算写字了,可谓智商高于情商,但是没能好好利用,最终成为了碌碌无为的人。可知人的成功并不依赖于智商。

也有相反的例子。唐宋八大家之一苏洵(号老泉),从小不爱学习,终日吃喝玩乐。到了27岁,才发愤读书,十年不写一个字,终于精通经书,能够下笔顷刻数千言。在古代著名的启蒙教材《三字经》中,就有"苏老泉,二十七,始发奋,读书籍"的描写。诗人曾巩赞之曰:烦能不乱,肆能不流。其雄壮俊伟,恣肆汪洋,若决江河而下也;其辉光明白,若引星辰而上也。苏洵小时候没什么成绩,可谓智商不高,但是长大后奋发图强,百折不挠,终成大器,这绝不是智商所决定的,而是取决于情商。更重要的是,苏洵还培养了苏轼、苏辙两个文学家儿子,这恐怕更是由于苏洵的高情商对他们的熏陶。

生命的成就绝对不只一条途径,正如所谓行行出状元。在这个知识日益重要的社会,技术能力当然是一条重要的途径,但是长久以来,智商(Intelligence Quotient,缩写为智商)对于事业的成功和丰富私生活方面而言,一直被视为最重要的先决条件,现在,这一现象终于有了改变。

我们常听到小孩子说一个笑话:"一个笨蛋15年后变成什么?"答案是:老板。

还有一个类似的笑话,一位心理学家应邀为一个学校的中学生做职业指导。对于成绩全是A(优秀)的学生,心理学家说:你最好坚持学术研究,做个教授。当然做律师,或者到华尔街工作也可以。

对于成绩全是C(及格)的学生,心理学家说:天哪!你一定要做好准备,你将会成为美国总统(现任美国总统小布什和他的竞争对手克里都是这样的"C等生")。

对于马上要退学的学生,心理学家说:你还没成为世界首富吗?能不能卖给我一些你的公司的股票呢?

不过即使是笨蛋,如果情商比别人高明,职业场上的表现也必然略胜一筹。诸多证据显示,情商较高的人在人生各个领域都较占优势,无论是谈恋爱、人际关系或是理解办公室政治中不成文的游戏规则,成功的机会都比较大。此外,情感能力较佳的人通常对生活较满意,较能维持积极的人生态度。反之,情感生活失控的人必须花加倍的心力与内心交战,从而削弱了他的实际能力与清晰的思想力。

美国曾经有这样一条轰动全国的消息:

杰森是佛罗里达珊瑚泉中学二年级的学生,成绩非常优异,一心想要读医学院,而且是以哈佛为目标。有一次考试,物理老师大卫给他80分,杰森深信这项成绩将影响他的未来,便带了把刀子到学校,接着在实验室与大卫老师冲突,他举刀刺中大卫的锁骨部位,后来才被制服。

在后来漫长的诉讼中,四位心理学家与心理医师声称杰森行凶时丧失理智,最后杰森被判无罪。杰森自称他因成绩不佳准备自杀,去找物理老师是要告诉他自杀的意图。但大卫坚信杰森因成绩太低愤愤不平,决意要置他于死地。杰森后来转学到私立学校,两年后以极优异的成绩毕业。大卫对杰森从未向他致歉或为那次事件负责深感不满。

值得我们探讨的是:那么聪明的学生怎么做出那么不理性的事?岂不是很笨?其实答案很简单:学业上的聪颖与情绪的控制关系不大。再聪明的人也可能因情绪失控或一时冲动铸下大错,高智商的人在个人生活上可能显得出奇低能。

哈佛大学爱默特学院有一位同学成绩很好,入学时测验有800分,自然是聪颖过人,只可惜他总是四处游荡,迟睡晚起,因而经常逃课。他费了近十年才拿到学位。

有些人在潜力、学历、机会各方面都相当,后来的际遇却大相径庭,这便很难以智商来解释。曾有人追踪1940年哈佛95位学生中年的成就(相对于今天,当时能够上哈佛的人比上不了哈佛的人,差异要大得多),发现以薪水、生产力、本行业位阶来说,在校考试成绩最高的不见得成就最高,对生活、人际关系、家庭、爱情的满意程度也不是最高的。

另有人针对背景较差的450位男孩子做同样的追踪,他们多来自移民家庭,其中三分之二的家庭仰赖社会救济,住的是有名的贫民窟,有三分之一的智商低于90。研究同样发现智商与其成就不成比例,譬如说智商低于80的人里,7%失业10年以上,智商超过100的人同样有7%。就一个四十几岁的中年人来说,智商与其当时的社会经济地位有一定的关系,但影响更大的是儿童时期处理挫折、控制情绪、与人相处的能力。

另外一项研究的对象是1981年伊利诺斯州某中学81位毕业演说代表与致词代表学生,这些人的平均智商是全校之冠,他们上大学后成就都不错,但到近30岁时表现却平平。中学毕业10年后,只有四分之一在本行中达到同年龄的最高阶层,很多人的表现甚至远远不如同侪。

波士顿大学教育系教授凯伦·阿诺(Karen Arnold)曾参与上述研究,她指出:"我想这些学生可归类为尽职的一群,他们知道如何在正规体制中有良好的表现,但也和其他人一样必须经历一番努力。所以当你碰到一个毕业致词代表,唯一能预测的是他的考试成绩很不错,但我们无从知道他适应生命顺逆的能力如何。"

这也是问题的关键所在:学业成绩优异,并不保证你在面对人生磨难或机会时会有适当的反应。既然高智商不一定能与幸福快乐或成功画上等号,我们的教育与文化却仍以学业能力为重,忽略了与个人命运息息相关的情商(或可称为性格特质)。处理情感同样有技巧高下之分,同样有一套基本的能力标准,这和算术、阅读等能力并无二致。情商正可解释同样智商的人何以有不同的成就,因为它可决定其他能力(包括智能)的发挥极限。

《钟形曲线》(The Bell Curve)一书强调智商的重要,但是作者理察·亨斯坦(Richard Herrnstein)与查尔斯·穆瑞(Charles Murray)也不能否认非智商因素的重要:"假设一个人参与性向测验,数学一项仅得50分,也许他不宜立定志向当数学家。但如果他的梦想是自己创业、当参议员或赚100万,并非没有实现的可能……影响人生成就的因素实在太多,相比之下,区区的智力测验何足道哉。"

情商超越智商

4岁的小姑娘茱蒂似乎显得落落寡合,不及其他小朋友来得合群,玩游戏时她总是站在边缘位置,而不是全心投入。事实上茱蒂对幼稚园的人际生态有很敏锐的观察力,可以说她对其他人的了解还远超过同辈孩子。

但茱蒂的能力一直未被发现,直到有一天老师集合所有小朋友玩一种游戏。游戏方式是用棍子绑一些假人,头部贴着同学和老师的照片,请同学指出其他同学最喜欢玩耍的角落,或是哪一位同学与哪一位同学最要好。这种游戏可说是小朋友社交观察能力的最佳试验。结果证明茱蒂的观察力是最敏锐的。

茱蒂对班上同学的人际心态掌握得一清二楚,对一个4岁的孩子而言这几乎是不可思议的。茱蒂长大后,这些能力无疑将使她在讲求人际能力的领域中一展所长,这些领域可能包括销售、管理、外交等等。

茱蒂的人际能力能这么早被发掘是很幸运的,这是因为她的学校正在进行一套多元发现计划,目标是培养学生多方面的智力。学校深信人的能力绝不仅局限于传统教育着重的说、读、写而已,像茱蒂的人际能力也是一项值得培养的才华,他们鼓励学生全方位地发展各项才能,进而将学校教育扩大为生活的教育。

主导这个计划的灵魂人物是哈佛教育学院的心理学家嘉纳,嘉纳曾说:"时代已经不同,我们对才华的定义应该扩大。教育对孩子最大的帮助是引导他们走入适性的领域,使其因潜能得以发挥而获得最大的成就感。今天我们完全忽略了这个目标,我们实行的是一视同仁的教育,仿佛要把每个人都教育成大学教授,对每个人的评价也都是依据这个狭隘的标准。我们应该做的是减少评比,多花心力找出每个人的一面天赋加以培养。成功可以有无数种定义,成功的途径更是千变万化。"

传统对于智力的观念有很多限制,嘉纳是少数率先指出这一点的人。他指出智力测验的全盛时期始于二次大战期间,当时 200 万美国人首次参加大规模的纸上智力测验,测验方式是斯坦福大学心理学家刘易斯·特曼(Lewis Terman)刚刚发明出来的。此后数十年即嘉纳所谓的"智商思考模式期":"大家普遍认为一个人是否聪明是与生俱来的,后天能改变的很有限,智力测验可测出一个人是聪明或愚笨。美国学生入学性向测验也是基于同样的观念设计的,认为单一——种性向可决定所有人的未来。这种观念普遍存在于社会各阶层。"

1983 年嘉纳出版影响深远的《心理架构》(Frames of Mind),明白驳斥这种智商决定一切的观念,指出人生的成就并非取决于单一的智商,而是多方面的智能,主要可分为 7 大类。其中两类是传统所称的智能——语言与数学逻辑,其余各类包括空间能力(艺术家或建筑师)、体能(运动员的优雅或魔术师的灵活)、音乐才华(如莫扎特)。最后两项是嘉纳所谓"个人能力"的一体两面,一是人际技巧,如医生或马丁·路德·金这样的领袖;另一类是透视心灵的能力,如心理学大师弗洛伊德。

这种多面向的智能观可更完整地呈现出孩子的能力和潜力。嘉纳等人曾经让多元智能班的学生做两种测验,一种是传统标准的斯坦福毕奈儿童智力测验,另一种是嘉纳的多元智能测验,结果发现两种测验成绩并无明显的关联。智商最高的儿童(125 到 133 分)在十类智能的多元测试中表现各异,三个在两个领域表现不错,另一个只有一个领域较杰出。且各人突出的领域相当分散:四个音乐较佳,一个特长是逻辑,一个是语言。五个高智商的孩子在运动、数字、机械方面都不太行,运动与数字甚至是其中的两个孩童的弱点。

嘉纳的结论是:斯坦福毕奈智力测验无法预测孩童在多元智能领域的表现。反之,教师与家长可根据多元智能测验,了解孩子将来可能有杰出表现的性向。

嘉纳后来仍不断发展其多元智能观,他的理论首度问世后约10年,他就个人智能提出一个精辟的说明:

人际智能是了解别人的能力,包括别人的行事动机与方法,以及如何与别人合作。成功的销售员、政治家、教师、治疗师、宗教领袖很可能都有高度的人际智能。内省智能与人际智能相似,但对象是自己,亦即对自己能有准确的认知,并依据此一认知来解决人生的问题。

仔细分析嘉纳对个人智能的描述,对情绪的角色与掌握仍可获不少启示,但他对感觉的重要性仍旧着墨不多,反而侧重在感觉的认知问题上。浩瀚的情绪领域仍等待后人探讨。内心生活与人际关系为何复杂而丰富?情绪是否有智力的成分?是否可以有更智慧的情绪经营法门?这些问题都有令人期盼的答案。

嘉纳曾特别强调认知力是有时代背景的,而这又与心理学的特殊历史发展有关。在20世纪,学院心理学都是由史金纳(B.F.Skinner)一派的行为主义者主导,他们认为,何以从外在客观观察的行为才能进行准确的科学研究,因而将内心活动(包括情绪)都判除在科学之外。

之后,随着60年代末期认知革命的来到,心理学的重心转移到心灵如何记录与储存资讯,以及智力的本质,但情绪仍然不受重视。认知学家一贯认为智力涉及的是冷酷而无干情感的事实处理,这种超理性的最佳典范是电影《星球大战》中的史波克(Spock)——一个完全不受情感干扰的信息处理器,这个理论背后的观念少为,情绪与智力毫无关系,只会使我们对心灵活动的了解更加混沌。

拥护这派理论的认知科学家总喜欢以电脑比拟人脑,却忘了人脑充满了混乱悸动的神经化学物质,可不像电脑芯片那样井然有序。认知科学家所建立的人脑资讯处理模型忽略了很重要的一点:理性常要接受感性的导引,甚至是无可救药地被牵着鼻子走。可以说认知科学

情商

家所绘制的心灵版图是很不完整的,无法解释狂烈的情感如何使智力更丰富。为了自圆其说,这些学者只好无视于他们个人的希望与恐惧,婚姻的龃龉,同行相嫉的心理……事实上正是这千般情绪让人生丰富多采而充满趣味,而且无时无刻不左右我们对资讯的处理方式。

随着心理学开始体认感觉对思想的根本影响,这个主导智能研究近80年的偏差观念才逐渐改变。《星际大战》的史波克到第二代变成戴塔(Data),正好反映心理学的这一趋势。戴塔惊讶地发现他的冷静的逻辑无法找出适合人类的解答(此外他还很惊讶,原来自己也会有惊讶的感觉)。情感正是人类之所以为人的最主要特征,戴塔深知此点而努力追求情感。他渴望友情与忠诚,但是就像童话《绿野仙踪》里的铁皮人,他少了一颗心,他可以弹奏音乐写诗作文,但却感受不到其中的热情。戴塔追求热情而不可得,证明人类心灵的崇高价值:信念、希望、奉献与爱确实存在,这在冷冰冰的认知理论中却完全找不到。这是多么贫瘠的心灵观啊!

测试:你能成功吗?

这个小测验不是测试你的"技巧",也不是向你提出什么难题,目的只是通过对你情商状况的剖析,分析出你成功的可能性,使你对自己有个正确的评价和估计。请认真回答下列每一个问题。多每个问题所陈述的事实你可以有以下四种基本态度:

A 非常同意

B 有些同意

C 有些不同意

D 不同意

1. 快乐的意义对我来说比钱重要得多。

2. 假如我知道这件工作必须完成,那么工作的压力和困难并不能困扰我。

3. 有时候成败的确能论英雄。

4. 我对犯错误非常严厉。

5. 我的名誉对我来说极为重要。

6. 我的适应能力非常强,知道什么时候将会改变,并为这种改变做准备。

7. 一旦我下定决心,就会坚持到底。

8. 我非常喜欢别人把我看成是个身负重任的人。

9. 我有些嗜好花费很高,而且我有能力去享受。

10.我很小心地将时间和精力花在某一个计划上,如果我晓得它会有积极和正面的成果。

11.我是一个团体的成员,让自己的团体成功比获得个人的认可更重要。

12.我宁愿看到一个方案拖迟,也不愿无计划、无组织地随便完成。

13.我以能够正确地表达自己的意思为荣,但是我必须确定别人是否能正确了解我。

14.我的工作情绪是很高昂的,我有用不完的精力,很少感到精力枯竭。

15.大体来说,常识和良好的判断对我来说,比了不起的点子更有价值。

计分方法:

1.A	0	B	1	C	2	D	3
2.A	3	B	2	C	1	D	0
3.A	2	B	3	C	1	D	0
4.A	1	B	3	C	2	D	0
5.A	3	B	2	C	1	D	0
6.A	3	B	2	C	1	D	0
7.A	3	B	2	C	1	D	0
8.A	3	B	2	C	1	D	0
9.A	3	B	2	C	1	D	0
10.A	3	B	2	C	1	D	0
11.A	3	B	2	C	1	D	0
12.A	3	B	2	C	1	D	0
13.A	3	B	2	C	1	D	0
14.A	3	B	2	C	1	D	0
15.A	3	B	2	C	1	D	0

情商

你的得分是 0~15 分:成功的意义对你来说,是圆满的家庭生活和精神生活,而不是权力和精神的获得,因为你能从工作之外得到成就感,因此,可能不适合去爬高位,这个建议可以帮助你专注在实现自我的目标上。

你的得分是 16~30 分:也许你根本就没想到去争取高位,至少在目前是如此。你有了这个能力,但是你还不准备做出必要的牺牲和妥协,你对政策的不满导致你在工作的义务和其他兴趣之间寻求平衡。这个倾向可以促使你寻找途径来发展跟你目标一致的事业。

你的得分是 31~45 分:你有获得权力和金钱的倾向,要爬上任何一个组织的高峰对你来说是非常容易的事情,而且你通常办得到。这个训练对你在申请工作或者用人时,用处尤其大。

第 2 节 情绪

源于人的内心的力量

人的力量有很多种,例如肌肉的力量、头脑的力量。情绪也是一种力量。

有这样一件事:一次火灾中,受灾人家的六十多岁的阿婆从火场中抢救出一个大铁箱,待到火扑灭后,却无论如何也搬不回去了。这说明,人的情绪比肌肉蕴藏着更大的力量。《憨山大师年谱》载,憨山和尚三十岁时在五台山参禅修定,食物仅有三斗米和麦麸,和野菜食之,半年尚有余。定中发悟后,变得精力超常,在募造转经轮期间,他主持操办,"经营九十昼夜,目不交睫",而精力充沛,没有睡意。起初主持做水陆佛事七昼夜,他于"七日之内,粒米不餐,但饮水而已,然应事不缺",大大超越了常人的生理极限。而这一切,都是通过佛教的"禅定"练习来调节自己的情绪,从而增强了自己身体的力量。

情绪的力量

海伦·凯勒刚出生时,是个正常的婴孩,能看、能听,也会咿呀学语。可是,一场疾病使她变成又瞎又聋的哑巴——那时她才 19 个月大。生理的剧变,令小海伦性情大变。稍不顺心,她便会乱敲乱打,野蛮地用双手抓食物塞入口里;若试图去纠正她,就会在地上打滚乱嚷乱叫,简直是个十恶不赦的"小暴君"。父母在绝望之余,只好将她送至波士顿的一所盲人学校,特别聘请一位老师——安妮·沙莉文女士照顾她。

在沙莉文女士的帮助下初次领悟到语言的喜悦时,那种令人感动的情景,实在难用笔述。海伦曾写道:"在我初次领悟到语言存在的那天晚上。我躺在床上,兴奋不已,那是我第一次希望天亮——我想再没其他人,可以感觉到我当时的喜悦吧。"仍然是失明,仍然是瞎眼的海伦,凭着触觉——指尖去代替眼和耳——学会了与外界沟通。她10多岁一点,名字已传遍全美,成为残疾人士的模范。1893年5月8日,是海伦最开心的一天,这也是电话发明者贝尔博士值得纪念的一日。贝尔博士这位成功人士在这一天成立了他那著名的国际聋人教育基金会,而为会址奠基的正是13岁的小海伦。

若说小海伦没有自卑感,那是不确切的,也是不公平的。幸运的是她自小就在心底里树起了颠扑不灭的信心,完成了对自卑的超越。小海伦成名后,并未因此而自满,她继续孜孜不倦地接受教育。1900年,这个20岁的学习了指语法、凸字及发声,并通过这些手段获得超过常人的知识的姑娘,进入了哈佛大学拉德克利夫学院学习。她说出的第一句话是:"我已经不是哑巴了!"她发觉自己的努力没有白费,兴奋异常,不断地重复说:"我已经不是哑巴了!"四年后,她作为世界上第一个受到大学教育的盲聋哑人以优异的成绩毕业。

海伦不仅学会了说话,还学会了用打字机著书和写稿。她虽然是位盲人,但读过的书却比视力正常的人还多。而且,她著了七册书;比"正常人"更会鉴赏音乐。海伦的触觉极为敏锐,只需用手指头轻轻地放在对方的唇上,

就能知道对方在说什么：把手放在钢琴、小提琴的木质部分，就能"鉴赏"音乐。她能以收音机和音箱的振动来辨明声音。又能够利用手指轻轻地碰触对方的喉咙来"听歌"。如果你和海伦·凯勒握过手，5年后你们再见面握手时，她也能凭着握手来认出你，知道你是美丽的、强壮的、体弱的、滑稽的、爽朗的、或者是满腹牢骚的人。

海伦的事迹在全世界引起了震惊和赞赏。她大学毕业那年，人们在圣路易博览会上设立了"海伦·凯勒日"。她始终对生命充满信心，充满热忱。她喜欢游泳、划船，以及在森林中骑马。她喜欢下棋和用扑克牌算命；在下雨的日子，就以编织来消磨时间。她虽然没有发大财，也没有成为政界伟人，但是，她所获得的成就比富人、政客还要大。第二次大战后，她在欧洲、亚洲、非洲各地巡回演讲，唤起了社会大众对身体残疾者的注意，被《大英百科全书》称颂为有史以来残疾人士最有成就的代表人物。

可以想象，如果海伦·凯勒不能在安妮·沙莉文女士的帮助下，从童年的绝望情绪中走出来，建立起自信的情绪，就绝对不可能有后来的成就，只能成为一个普通的，甚至是终日怨天尤人的残疾人。

那么，有着决定人生命运能力的情绪，究竟是什么呢？

牛津词典对情绪的定义是：心灵、感觉或感情的激动或骚动，泛指任何激越或兴奋的心理状态。人类的情绪有数百种之多，其间的差异非常细微，但是可以明确的分为几个大类。

早在先秦时代，我国学者（主要是儒家）就曾对情绪进行过研究和分类。《礼记》中提出人有"七情"之分，即"喜、怒、哀、惧、爱、恶、欲"。到了东汉时期，人们发现"欲"有具体的物质需求的指向，而不仅仅是内心的变化状态，就逐渐把"欲"从情绪中分离出去，单独成为一类，即人们常说的，与"七情"相并列的"六欲"。班固编撰的《白虎通》就把情绪分为"六情"，即"喜、怒、哀、乐、爱、恶"。

到了现代，随着西方科学方法中的分析法逐步为中国科学家所熟练运用，对于情绪的研究也有了逐步的深入。1944年，我国著名心理学家林传鼎从经典的汉字字典《说文解字》一书中找出了354个描述人的情绪表现的词，按其释义把它们分为18类，即"安静、喜悦、恨怒、哀怜、悲痛、忧愁、愤急、烦闷、恐惧、惊骇、恭敬、抚爱、憎恶、贪欲、嫉妒、傲慢、惭愧、耻辱"。林传鼎认为，人类丰富多变的情绪主要就是由18类基本情绪所组合而成的，一个人在某一时刻可能体会到其中的一种情绪，也可能同时产生多种情绪。

西方心理学家近年来在研究情绪的时候,也倾向于把情绪分为基本情绪和复合情绪。有的心理学家把快乐、愤怒、悲哀、恐惧列为情绪的基本形式，还有的则认为人类具有 7 种基本情绪，分别是愤怒、恐惧、快乐、喜爱、惊奇、厌恶、和羞耻。

　　复合情绪则是由这些基本情绪混合而成,如愤怒加厌恶就是敌意,恐惧加内疚就是焦虑。以 7 种基本情绪中的某一种为基础,可以组合出下列的复合情绪:

　　愤怒:生气、愤恨、发怒、不平、烦躁、敌意、暴力;
　　恐惧:焦虑、惊恐、紧张、关切、慌乱、忧心、警觉、疑虑;
　　快乐:如释重负、满足、幸福、愉悦、骄傲、兴奋、狂喜;
　　喜爱:认可、友善、信赖、和善、亲密、挚爱、宠爱、痴恋;
　　惊奇:震惊、惊喜、叹为观止;
　　厌恶:轻视、轻蔑、讥讽、排斥;
　　羞耻:愧疚、尴尬、懊悔、耻辱。

　　以上这些情绪就是人们经常会产生的情绪类型。

　　科学家对大脑的研究,向人们揭示了情绪来自何处,人们为何需要情绪的秘密。

　　人的脑分为几个功能不同的部分,不同的部分在进化的过程中出现的时间也有所不同。脑干的功能主要是维持个体生命,包括呼吸、消化等重要生理功能,它形成的时间最早。接下来是边缘系统,情绪就来自于这个部位,快乐、厌恶、愤怒和恐惧都出自这里,欲望也来自大脑边缘系统。大脑边缘系统的功能是控制情绪,人的边缘系统与哺乳动物具有一些共同的东西,如关心后代的天性等,而不像冷血动物龟蛇那样下蛋之后就让它们自生自灭。实际上,幼蛇要想生存必须学会飞快地爬行。著名作家戴维·舒那赫曾经有这样的论断:"爬行动物和笨蛋有两点是相同的:都没有幽默感,都六亲不认。"

　　人脑形成的最后一部分是大脑新皮质,这一部分使人们得以理性思考和作出符合逻辑的选择,爱来也来自大脑的这个部位。由于大脑新皮质发育最晚,人们有理由相信它是大脑进化的最高阶段,因此应当比其余部分更好,价值更高。与情绪和感觉能力相比,大多数文化更注重大脑的思考和推理能力。然而,根据《笛卡尔的错误》一书的作者安东尼奥·马西奥看来这是错误的。

情
商

马西奥为了写作曾经调查过那些大脑边缘系统——也就是大脑中控制情绪的那部分——受损的人。在与他们交流的时候,他发现这些人可以很清晰和符合逻辑地推理和思维,但是做出的决定都非常低级。马西奥因此断定当思维大脑与情绪大脑相分离时,它们同样不能正常工作。当人类在做出正常举动时,人类综合运用了大脑的两个部分即情绪部分和逻辑部分。

在人类的大脑反应中,仍然存在着原始的情绪。在人类的进化历程中,内在的情绪一次又一次反复出现,直至烙印在神经系统,成为先天的、自主性的情绪反应倾向,这再次证实了情绪的存在价值。这种原始的情绪沉淀,反映在人们生活的一些方面:恐惧使血液流向人腿肌肉,以使人更易于奔跑;厌恶使脸部向上皱起,并关闭鼻孔,以阻挡难闻气味的进入;惊讶使眉毛上扬,以使眼睛扩大视野,获得更多的信息等等。同时,在细胞层次上,边缘系统比大脑新皮质的活动快很多倍,这使得我们在遇到危险或者是紧急状态的时候,往往受到情绪而不是理智的支配。

比如,当我们在外宿营的时候,夜里突然被灌木层中的响动惊醒,这时边缘系统首先根据原始的情绪积淀,提示我们这是野兽的出没,并且立即产生恐惧的情绪。恐惧的情绪命令我们迅速跳起,准备立刻逃跑,或者操起猎枪向野兽射击。过了好半天才看清楚原来是同伴起夜弄出的响声。

如果情商不高,也就是控制情绪的能力不够,情绪不足或者过度,这种反应就会带来麻烦。如果恐惧的情绪不足,没有迅速跳起,做好逃跑或是反击的准备,而灌木层中真的是危险的野兽的话,就可能会丧生于荒郊野外之中;如果反应过度,开了枪之后才发现原来是憋了一大泡尿的同伴弄出的声音,那么就是别人丧生于荒郊野外之中了。

因此我们可以看到,单凭大脑中控制情绪或理性的部分来行事只会使情商更低,而高情商的人会留出足够的思考时间把两者结合起来,从而做出正确的选择。

情绪与人的身体

人的健康状况,例如疾病、伤痛、过度疲劳等,对人的情绪影响都很大。得了病,尤其是得了重病,对人的情绪会产生非常大的影响。营养学家确认,体内缺乏维生素 B2 的人,情绪容易恶化,生活情趣降低,甚至有自杀倾向。

更重要的是,情绪也会对身体产生影响。人的情绪与肌体的健康有着极其重要的关系。积极良好的情绪,能保持人的精神与躯体的健康,短暂的消极情绪不会对健康造成不利影响,但长期消极和不愉快的情绪,就会对人的健康带来损伤,严重的甚至引起疾病。

美国著名家庭经济学家海伦·科特雷克研究发现,负性情绪影响体内营养素的吸收利用。

科特雷克认为,经常在紧张状态下生活的人,心跳加快,血流加速。这种加大负荷的运行,必须消耗大量的氧和营养素。而且,处于紧张状态下的人体器官,特别是全身肌肉,在消耗比平时多出1至2倍营养素和氧气的同时,又会产生比平时多得多的废物。要排除这些废物,内脏器官要加紧工作,又必须消耗氧和营养素,从而造成恶性循环。

较长时间处在抑郁中的人,因中枢神经系统指令传导受阻,胃中消化液分泌大量减少。缺少消化液对胃壁的刺激,人的食量会锐减。即使勉强地进食,也会出现胃中胀满和腹泻的情况,这便使营养素穿肠而过而所获甚少。由于消化液减少,缺乏消化酶对营养素的分解化合,有时虽不发生腹泻,亦难使营养素在体内消化吸收。另外,由于体内营养素缺乏,身体会发生种种生理不适,而这些生理不适,又会加重其心理不适,使抑郁更为严重,从而造成恶性循环。

烦恼虽然只是一种情绪,但却具有强人的破坏力。人在烦恼时,可使意志变得狭窄,判断力、理解力降低,甚至理智和自制力丧失,造成正常行为瓦解。烦恼和恐惧不仅使心灵饱受煎熬,同时它还会摧毁人的肌体。

流行病学的研究成果显示,紧张的生活事件,如战争、迁居到不同社会文化和地理环境中、生活方式和社会地位的改变等原因,使高血压、溃疡病等身心疾病的发病率明显增加。心理学家发现,丧偶6个月的妇女,其冠心病的发病率为正常妇女的6倍。

把两只同窝的羊羔放在温湿度、阳光、食物相同的条件

下生活,在其中一只羊羔旁拴着一只狼,让它总能看见狼,结果这只羊羔在极度恐惧中不思进食,逐渐消瘦而死,而另一只羊羔则能健康地生长。

愤怒会使人体内分泌系统功能失调,胃中消化液分泌过多,超过生理所需。多余的胃液较长时间侵蚀胃粘膜,会引起左上腹灼热难熬,影响进食,还为胃及十二指肠种下祸根。当胃中因消化液过多引起炎症或溃疡后,消化液对胃粘膜的刺激症状加重,进食就更少,体内营养素缺乏就更为严重,从而发生恶性循环。

经常有负性情绪的人,身体会受到这三种恶性循环的侵害。尽管有的人尚能进食一些高营养素的食物,但终因消化吸收利用受限,难以获得健康的体质。

根据英国"不列颠健康服务中心"的一篇报告显示,在第二次世界大战中,居住在长期有炮火袭击的伦敦市中心的民众,患胃溃疡的比例增加了 50%。所以,科特雷克告诫人们,保持健康良好的情绪,有利于体内对营养素的吸收利用,这也是生命科学的新见解。

积极的情绪有助于人们积极进取,获得成功,而消极情绪则在你成功之路上设置种种障碍,阻挡你前进。释放积极情绪和调控消极情绪,能保持自己生命的健康成长,激励自己踏上成功的人生之路。

情绪的特点

人都是有感情的,正如雨果所说:比大海更丰富的是,是人的心灵。情绪一词在人们的生活用语中经常出现,人们在使用这个词时并不感到困难,互相之间在认识和理解上也没有多大的分歧和误解。大家都知道,观看一场扣人心弦的体育比赛会使人产生兴奋和紧张;失去亲人会带来痛苦和悲伤;完成一项任务或工作后会感到喜悦和轻松;受到挫折时会悲观和沮丧;遭遇危险时会出现恐惧感;面对敌人的挑衅时会产生压抑不住的愤怒;在工作不称心时会产生不满;在美好的期望未变成现实时会出现失落感;而在面临紧迫的任务时会感到焦虑。这些感受上的各种变化就是我们通常所说的情绪。

当一个人受到批评时,可能会出现悲伤、沮丧、不满等情绪;当一个人获得成功时,一般会产生兴奋、欢快、喜悦、满足等情绪。我们已经知道了情绪是很复杂的,人类有数百种情绪,其间又有无数的混合变化与细微差别。情绪之复杂远非语言能及。

情绪首先表现为肯定和否定的对立性质，也就是情绪具有两极性。如满意和不满意、愉快和悲伤、爱和憎等等。而每种相反的情绪中间，存在着许多程度上的差别，表现为情绪的多样化形式。处于两极的对立情绪，可以在同一事件中同时或相继出现。例如，儿子在战争中牺牲了，父母既体验着英雄为国捐躯的荣誉感，又深切感受着失去亲人的悲伤。

情绪的两极性可以表现为积极的和消极的。积极、愉快的情绪使人充满信心，努力工作，消极的情绪则会降低人的行动能力，如悲伤、郁闷等。消极情绪不仅影响自己的表情和理智，也会影响他人对你的看法。

然而，对于不同的人，同一种情绪可能同时具有积极和消极的作用。例如，恐惧会引起紧张，抑制人的行动，减弱人的神志，但也可能调动他的精力，向危险挑战。

情绪的两极性还可以表现为激动和平静。激动的情绪表现强烈、短暂，然而可能是爆发式的，如激愤、狂喜、绝望。人在多数情景下处在安静的情绪状态，在这种状态下，人能从事持续的智力活动。

情 商

紧张和轻松也是情绪两极性的表现。紧张决定于环境情景的影响，如客观情况赋予人的需要的急迫性、重要性等，也决定于人的心理状态，如活动的准备状态、注意力的集中、脑力活动的紧张性等。一般来说，紧张与活动的积极状态相联系，它引起人的应激活动。但过度的紧张也可能引起抑制，引起行动的瓦解和精神的疲惫。

情绪经常呈现出从弱到强，或由强到弱的变化，如从微弱的不安到强烈的激动，从快乐到狂喜，从微愠到暴怒，从担心到恐惧等等。情绪的强度越大，整个自我被情绪卷入的趋向越大。不同的情绪表现形式，能够成为度量情绪的尺度，如情绪的强度、情绪的紧张度、情绪的激动程度、情绪的快感程度、情绪的复杂程度等。

不同的情绪可以使人处在不同的情绪状态，其中表现较多的情绪状态有心境、激情、应激三种。心境、激情、应激是三个心理学的名词。

心境是一种常见状态，又叫心情，在心理学的概念上，它是一种在一段时间内具有持续性、扩散性、而又不易觉察的情绪状态。心境对人的精神状态影响很大，因而对人的生活、工作、学习有直接而明显的影响。人们处在某种心情时，这种心情会扩散到活动的过程中，往往使其以同样的情绪状态看待一切事物。人的心情好时，会有万事皆如意的感觉。当人在情绪不好亦即心境不好时，干什么都提不起精神。

不同的心境受外界影响,也可以由自己身体的自我感觉(如健康状况)引起。稳定的心境与人的个性特征有关。乐观洒脱的人心境愉快的时候多,悲观狭隘的人心境郁闷的时候多。引起不同心境的原因,不是每个人都能意识到。经常听到有人说,"不知道怎么搞的,这几天烦透了",当意识到自己的心境不好时,就应当设法改变这种情绪状态了。

　　除了一些飘忽不定、影响时间较短的心境外,每个人还有各自独特的稳定心境。

　　稳定的心境由一个人占主导地位的情绪体验决定。有的人总是生气勃勃、笑口常开,这种人愉快的心境占主导地位;有的人总是死气沉沉、愁容满面,这种人忧伤的心境占了主导地位。健康的身体、积极向上的生活态度、和谐的人际关系等,都是形成积极性稳定心境的必要条件。

　　激情和应激是指两种特殊的心理状态。

　　激情,是指在较短时间内,来势较猛、整个身心都处在激动中的情绪状态。如狂喜、亢奋、盛怒、悲恸、恐惧、绝望等,都是人处于激情中的具体表现。

　　人处于激情状态时,皮层下神经中枢失去了大脑皮层的调节作用,皮层下中枢的活动占了优势。人的自我控制能力减弱,会发生"意识狭窄"现象,下意识地做出与平常行为很不相同的举动。但是,人在激情状态下,并非完全意识不到或不能控制自己。在相当大的程度上,激情也是可以控制的,比如,在情绪还没有达到激情状态时,及时加以调节,在很大程度上可以避免激情出现。

　　积极的激情,可以调动起身心的巨大潜力,对工作和生活产生积极的作用。许多创造性的作品就是这样产生的。消极的激情则会使人冲动、呆滞和失去理智,盛怒就是一种消极的激情。消极的激情使人表情难看,容易使人失去理智,在愤怒的驱使下,甚至连说话都语无伦次,常出现类似的消极激情,对人的身心有巨大的影响。

　　应激是人在遇到出乎意料的紧张情况时,出现高度紧张的情绪状态。比如亲人死亡、意外事故、患上不治之症等,都可能引起应激状态。应激状态下,神经内分泌系统紧急调节并动员内脏器官、肌肉骨骼系统,加强生理、生化过程,促进有机能量的发放,提高机体的活动效率和适应能力。但过度的或长期的应激状态,可能导致过多的能量消耗,引起某些疾病,甚至会死亡。适当的应激状态,可以使人急中生智。但在应激状态下,除了意识活动的某些方面受到抑制之外,还可能出现知觉、记忆等方面的错误,对出乎意料的刺激产生的强烈反应,会使人的注意和知觉范围缩小。

美国纽约大学的神经系统学者勒杜,对这种现象从生理上做出了解释。他发现了大脑中的一种通路,这条通路使情绪在智力还没有介入之前,就驱使人做出行动。

例如一个人在森林中徒步行走,他眼角的余光突然发现了一条长而弯曲的东西,他脑子里蓦地窜出蛇的样子,下意识地跳到了一块石头上。但他仔细察看这个东西后,紧张的心情释然了,原来那是一根青藤而不是蛇。于是他调整了最初的反应。这最初的反应,就是大脑的情绪反应与智力反应的通路。在应激状态下,出现大脑中情绪与智力的通路是正常的、可以理解的。然而,有些人稍遇情绪波动,就产生这种通路,产生感情冲动,以感情代替理智、以感情冲击理智。这类人很难调节自己的情绪。

高度的思想认知、强烈的责任感、丰富的经验和有意识的训练,在应激状态下,可以不同程度地减少不理智行为的出现。

情绪的稳固程度和变化情况,就是情绪的稳固性。情绪的稳固性与情绪的深度也是密切联系着的。深厚的情绪是稳固持久的。浅薄的情绪即使很强烈,也总是短暂的、变化无常的。

情绪不稳固首先表现在心境的变化无常上。情绪不稳固的人,情绪变化非常快,一种情绪很容易被另一种情绪所取代,人们经常用"喜怒无常"、"爱闹情绪"等来形容。

情绪的不稳固还表现在情绪强度的迅速减弱上。这类人开始时往往情绪高涨,但很快就冷淡下来,人们经常用"转瞬即逝"、"三分钟热度"来形容他们。

情绪的稳固性是性格成熟的标志之一,稳固的情绪是获取良好人际关系的重要条件,也是取得工作成绩和人生成功的重要条件。

情绪对人的生活能发生作用,这就是情绪的效能。情绪效能高的人,能够把任何情绪都化为动力。愉快、乐观的情绪可以促使人们积极工作,即使悲伤的情绪,也能促使他"化悲痛为力量"。情绪效能低的人,有时虽然也有很强烈的情绪体验,但仅仅停留在体验上,不能付诸行动。

愉快、乐观等积极性情绪使人陶醉于这种氛围中,从而延迟、停止、放弃行动。悲伤、郁抑的情绪则使其不能自拔,也使其延迟、停止、放弃行动。

人的情绪与智力有密切关系,没有智力的人很难说情绪是什么样的,所以,情绪也是智力活动的结果。人们很难找到没有智力的人的情绪。

情绪占据了人类精神世界的核心地位。社会生物学家指出,危急时刻的情绪高于理性,发挥着主导作用。当人们面临危险、屡遭挫败,仅靠理智不足以解决问题,还需情绪作为引导。在任何时候,人们都不会忽视情绪的力量。著名的泰坦尼克号沉没的时候,年老的船长平静地留在轮船上,安心地面对死亡,他的行为感动了许多人,致使这些人在大灾难和即将来临的死亡面前,表现得异常镇静,这充分显示了情绪在人类生活中的重要性。

仅凭经验就可知道,进行决策或采取行动时,情绪与理智是并驾齐驱的,有时甚至是情绪略占上风。人们把由智商所评定的纯理智看得太重,强调得太过分了。其实,当情绪独霸天下时,理智根本就无能为力。

测试:你的情绪是否健康

下面是一个情绪测验,通过这个测验,你可以了解你的情绪是否健康,是否在你的掌控之中。

1. 看到自己最近一次拍摄的照片,你有何想法?
   A. 觉得不称心　B.觉得很好　C.觉得可以

2. 你是否想到若干年后会有什么使自己极为不安的事?
   A.经常想到　B.从来没有想过　C.偶尔想到过

3. 你是否被朋友、同事或同学起过绰号、挖苦过?
   A.这是常有的事　B.从来没有　C.偶尔有过

4. 你上床以后,是否经常再起来一次,看看门窗是否关好,水龙头是否拧紧等？
　　A.经常如此　B.从不如此　C.偶尔如此

5. 你对与你关系最密切的人是否满意？
　　A.不满意　B.非常满意　C.基本满意

6. 半夜的时候,你是否经常觉得有什么值得害怕的事？
　　A.经常　B.从来没有　C.极少有这种情况

7. 你是否经常因梦见什么可怕的事而惊醒？
　　A.经常　B.没有　C.极少

8. 你是否曾经有多次做同一个梦的情况？
　　A.有　B.没有　C.记不清

9. 有没有一种食物使你吃后呕吐？
　　A.有　B.没有　C.记不清

10. 除去看见的世界外,你心里有没有另外的世界？
　　A.有　B.没有　C.记不清

11. 你心里是否时常觉得你不是现在的父母所生？
　　A.时常　B.没有　C.偶尔有

12. 你是否曾经觉得有一个人爱你或尊重你？
　　A.是　B.否　C.说不清

13. 你是否常常觉得你的家庭对你不好,但是你又的确知道他们实际上对你很好？
　　A.是　B.否　C.偶尔

14. 你是否觉得没有人十分了解你？
　　A.是　B.否　C.说不清楚

15. 你在早晨起来的时候最经常的感觉是什么？

A.忧郁　B.快乐　C.讲不清楚

16. 每到秋天,你经常的感觉是什么?
A.秋雨霏霏或枯叶遍地　B.秋高气爽或艳阳天　C.不清楚

17. 你在高处的时候,是否觉得站不稳?
A.是　B.否　C.有时是这样

18. 你平时是否觉得自己很强健?
A.否　B.是　C.不清楚

19. 你是否一回家就立刻把房门关上?
A.是　B.否　C.不清楚

20. 你坐在小房间里把门关上后,是否觉得心里不安?
A.是　B.否　C.偶尔是

21. 当一件事需要你作决定时,你是否觉得很难?
A.是　B.否　C.偶尔是

22. 你是否常常用抛硬币、翻纸牌、抽签之类的游戏来测凶吉?
A.是　B.否　C.偶尔

23. 你是否常常因为碰到东西而跌倒?
A.是　B.否　C.偶尔

24. 你是否需要一个多小时才能入睡,或醒得比你希望的早一个小时?
A.经常这样　B.从不这样　C.偶尔这样

25. 你是否曾看到、听到或感觉到别人觉察不到的东西?
A.经常这样　B.从不这样　C.偶尔这样

26. 你是否觉得自己有超乎常人的能力?

A.是　B.否　C.不清楚

27. 你是否曾经觉得因有人跟着你走而心里不安?
    A.是　B.否　C.不清楚

28. 你是否觉得有人在注意你的言行?
    A.是　B.否　C.不清楚

29. 当你一个人走夜路时,是否觉得前面暗藏着危险?
    A.是　B.否　C.偶尔

30. 你对别人自杀有什么想法?
    A.可以理解　B.不可思议　C.不清楚

以上各题的答案,选 A 得 2 分,选 B 得 0 分,选 C 得 1 分。请将你的得分统计一下,算出总分。得分越少,说明你的情绪越佳,反之越差。

总分 0~20 分,表明你情绪良好、自信心强,具有较强的美感、道德感和理智感。你有一定的社会活动能力,能理解周围的人们的心情,顾全大局。你一定是个性情爽朗、受人欢迎的人。

总分 2l~40 分,说明你情绪基本稳定,但较为深沉,对事情的考虑过于冷静,处事淡漠消极,不善于发挥自己的个性。你的自信心受到压抑,办事热情忽高忽低,易瞻前顾后、踌躇不前。

总分在 41 分以上,说明你情绪不佳,日常烦恼太多,使自己的心情处于紧张和矛盾之中。

如果你得分在 50 分以上,则是一种危险信号,你务必请心理医生作进一步诊断。

情商提高:学会调节自己的情绪

1939 年,德国军队占领了波兰首都华沙,此时,卡亚和他的女友迪娜正在筹办婚礼。然而,卡亚做梦都没想到,他和其他犹太人一样,光天化日之下被纳粹推上卡车运走,关进了集中营。卡亚陷入了极度的恐惧和悲伤之中,在不断地遭到摧残和折磨中,他的情绪极不稳定,精神遭受着痛苦的煎熬。

同被关押的一位犹太老人对他说："孩子，你只有活下去，才能与你的未婚妻团聚。记住，要活下去。"卡亚冷静下来，他下决心，无论日子多么艰难，一定要保持积极的精神和情绪。

所有关在集中营的犹太人，他们每天的食物只有一块面包和一碗汤。许多人在饥饿和严酷刑罚的双重折磨下精神失常，有的甚至被折磨致死。卡亚努力控制和调适着自己的情绪，把恐惧、愤怒、悲观、屈辱等抛之脑后，虽然他的身体骨瘦如柴，但精神状态却很好。

5年后，集中营里的人数由原来的4000人减少到不足400人。纳粹将剩余的犹太人用脚镣铁链连成一长串，在冰天雪地的隆冬季节，将他们赶往另一个集中营。许多人忍受不了长期的苦役和饥饿，最后横尸于茫茫雪原之上。在这人间炼狱中，卡亚奇迹般地活下来。他不断地鼓舞自己，靠着坚韧的意志力，维持着衰弱的生命。

1945年，盟军攻克了集中营，解救了这些饱经苦难、劫后余生的犹太人。卡亚活着离开了集中营，而那位给他忠告的老人，却没有熬到这一天。

若干年后，卡亚将他在集中营的经历写成一本书，他在前言中写道："如果没有那位老者的忠告，如果放任恐惧、悲伤、绝望的情绪在我的心间弥漫，很难想像，我还能活着出来。"

是卡亚自己救了自己，是他用积极乐观的情绪救了自己。

与卡亚不同的是，总有许多人不停地抱怨命运的不公，自己付出了辛劳的汗水，得到的却是失败和痛苦。究其原因，是因为他们不会调节自己的情绪。

谁都梦想着成功，但梦想不可能一蹴而就，它需要忍耐与拼搏，更需要用心与专注。不少人正是因为一点小事便陷入消极的情绪之中，或垂头丧气，或忧愁烦闷，或大发雷霆，或二心二意，动摇不定。自己具有的智力不能得到充分地发挥，其尘封的潜力更是难以启发。其实，他

们只要利用自己的情商,就能有效地调控自己的消极情绪,让自己拥有一个良好的心态,专注于生活和事业中。还有一些人只用手不用脑,他们事无巨细,样样操心,自己动手。人的精力是有限的,如果连琐碎的事都要去做,那会浪费你多少心智精力!

所以,在生活和工作中必须拿出眼光,瞄准一个目标,辨识自己必须去做的事情。这样,你才不会忙得团团乱转,焦头烂额而一事无成。而能否做到这一点,同样决定于你是否学会控制自己的情绪。

一个人事业上的成功,需要有正确的思想和理念的指引。真正具有建设性的精神力量,蕴藏在左右一生命运的情商中。每时每刻的精神行为,会对生命产生决定性的影响。

你的人生正如一辆全速行驶的列车,而你的情商为它提供足够的动力,决定它前行的方向。在生活中不难发现,有的人在艰难困苦的逆境中,却能够含垢忍辱,负累前行,在别人的冷眼和鄙视中一鸣惊人,一鹤冲天。而有的人生活优裕舒适,开创事业的条件样样具备,机会更是不计其数,但他们总是消极麻木,不思进取,宁可坐享其成,叫时光虚掷,也不愿立志实现梦想。两种为人,两种人生,造成差别的原因,还是与情绪有关。前一种人,有较高的情商,能遇挫不折,遇伤不悲,自我激励,因而能获得成功。后一种人,由于缺乏起码的情商,没有前进的动力,因而成了命运的输家。

多少个世纪以来,无数先哲曾在黑夜里叩问苍穹:决定我们每个人不同命运的因素到底有什么?我们必须怎样努力才能有效地把握人生?我的下一个目标是什么?我怎样才能做到既实现自我目标,又能愉快地帮助他人一起前进,共同分享成功的果实与经验?这一个个问题,成为许多人生存中的困惑。

只有良好的情绪才能使你成为命运真正的主人,那么,你现在就可以调节你的情绪,指挥它,命令它,让它给你无限的想像力,只要你有这样的决心,那么,你的梦想终会成真!

情

商

第二章 自我察觉能力

第1节 自觉是情商的基础

解读自己的情绪,认识到情绪的影响

人对待外界事物的一般规律是:先知道"是什么",然后决定"怎么做"。同样,一个人必须首先了解自己的情绪正处于何种状况,才能想办法控制它。意识到自己情绪的变化是情商非常重要的组成部分:小的情绪变化容易控制,但是不容易被察觉到;而情绪变化大到可以被轻易察觉的时候,就不太容易被控制了。

天堂与地狱在一念之间

人的情绪就像天上云彩,变化无常。人在陷入某种情绪中往往并不自知,总是在事情发生过后才会发现。很多人在情绪发作过后,错已铸成的时候,才后悔没有控制好自己的情绪,殊不知问题的所在并不是他没有控制情绪的能力,而是他没有察觉自己情绪的能力。如果没有察觉到自己情绪的变化,又何谈控制情绪呢?而不易自知的情绪是可以随时带人进入天堂或地狱的。

一个好斗的武士向一位得道禅师请教天堂在何处,地狱又在哪里。

老禅师说:"你只是一介武夫,性格乖戾,行为粗鄙,这种高深的禅

情商

学你根本不会了解的,出去吧!"

武士恼羞成怒,立刻拔剑相向:"好个秃驴!竟敢对我这般无礼!"

禅师说:"不要手里有把剑就耀武扬威的,这不过说明你其实是个不折不扣的懦夫而已。"

武士大怒:"你找死!"

禅师缓缓道:"这,就是地狱。"

武士恍然大悟,意识到自己的过失和无礼,随即还剑入鞘,五体投地,感谢禅师的指点。

禅师又言:"这,便是天堂了。"

武士的顿悟说明,人在陷入某种情绪时往往并不自知,总是在事情发生过后,经过有意识的反省才会发现。

在情绪产生的时候,情商高的人立即能觉知它的存在,进而有目的地调控它。情商较低的人则无法了解自己的情绪,以至于在陷入消极情绪或者情绪失常时却全然不知,更不用提进行有效地控制和调节了,这种情况的结果就像是走进迷茫的大山深处,心急火燎也找不到出口,因为这时的你根本就意识不到自己身在何处。

一般来说,人们往往可以影响和改变他们所了解的东西,当你想要积极改变自己的时候,你首先必须有自知之明。谁了解自己的情绪,谁就能充分合理地利用它们,谁就能操控、驾驭它们。谁要是不了解自己的情绪,就只能无助地听任它们的摆布,成为情绪的奴隶。

虽然情绪总是在变化,但是不要认为情绪是没有规律,不可捉摸的,其实生活中一些细微的事情就可以看出一个人情绪的变化规律,看出一个人掌控情绪的能力以及认识自我的能力。情商较高的人往往能在事情的发展过程中体察到自己的精神状态,预知自己的情绪所带来的后果,并找出某种情绪和心境产生的原因,对自我情绪做出必要恰当的调节,始终保持乐观平和的心态。

当你开始观察和注意自己内心的情绪体验时,一个有积极作用的改变正悄然发生,那就是情商的作用。

情绪不能承受之轻

人不会总是发怒,也不会因为随意的一点小事而沮丧。人的情绪变化是因为外界事物给一个人的心理压力超出了他的心理承受能力,这个外界的影响可能是很严重的事件,也可能是别人看来微不足道的

一件事。但是无论严重与否,这都是一个人情绪的底线,超出了这个底线,人的情绪就会不可抑制地释放出来,难以控制。

所以了解自己的情绪底线,有助于人感知自己的情绪变化,因为外界的事物比人内心的情绪变化更容易被察觉。了解了自己的情绪的底线,就可以在情绪波动不大的时候进行良好的控制。

有一位职业女性,她的丈夫经常变换工作,居无定所。当在一个地方工作不如意时,他就会买上一张飞机票去其他地方寻找更好的工作。结婚之初,这样做还是很刺激的。但当有了孩子们之后,频繁搬家带来诸多不便。当三个孩子开始上学后,她越来越受不了这种生活方式。她逐渐意识到有个安定的家,不再让孩子们频繁转学是她的底线。最后,当丈夫又一次工作不如意,准备到另一个地方谋职时,她坚持让他留下来在本地另找一份工作。丈夫不听,于是她做出了她一生最惊人的举动——离婚。她的底线被丈夫逾越了太久。

弄清楚各人的底线有时颇费时日,因为通常人们意识不到它的存在。弄明白自己的底线是建立心理防线的基础。当你得知了自己的底线后,你就会在与别人的交往中用它来要求别人对你的举止而不会有内疚感。

相互交流的双方的底线至关重要。如果你能忍受另一个人的底线,那么才有交往下去的可能,否则这种关系注定没有善终。如果丈夫想要孩子,而妻子不想要,两人就会陷入僵持。双方都认为自己的做法是底线。如果两人都不愿改变主意的话,他们的婚姻就走到了终点,要么其中的一个屈服而使怀恨终生。

有时我们会在工作中也会遇到底线问题。有位职员的老板语言刻薄,喜欢说自己是爱叫的狗不咬人,但他生气时的粗话使那位职员受不了。最终他意识到不可能再忍受老板这样的行为,他遇到了自己的底线,要么要求老板改变行为方式,要么辞职。

一个人的底线应该有个最佳数字,但具体有多少不太好说清楚。如果底线太多,你就会牢骚满腹,很难相处。如果底线太少,你就是一个可怜虫,人人都会欺负你。底线的确定一定要在冷静、理智的时候。有位母亲说,坚持让孩子们每天铺床是她的一个底线。这位母亲最好再认真想一想。对某件事反应强烈与绝对不能容忍有所不同。坚持这样的底线毫无意义,如果孩子们不铺床她又能怎么样?难道要把他们送给别人收养?

底线不同于琐事。事实上,如果一个人因为对方不铺床而分手的话,那么事情的真正原因绝不是不铺床这件小事,而很可能是伴侣常常忽视自己的欲望。弄明白我们的底线是增长真正的智慧的基础。

你的底线是什么?什么事会让你与人争吵、与人决裂或者使你遭受失败?这些事其实就是你的底线。如果有人向你卖东西时撒了谎,那么很简单,你再也不会到他那里买东西了。和你交往,请说真话,否则免谈。那么说真话就是你的底线。

让别人明白你可以忍受到什么程度很重要,同时让自己明白有你可以忍受到什么程度同样很重要。

测试:你是否是个感情用事的人

一般而言,容易感情用事的人,往往不能在第一时间察觉自己情绪的变化。而比较理智的人在做出决定或者行动之前往往比较慎重,就会容易察觉到自己情绪的变化。那么你是不是个感情用事的人呢?你希望得到一个明确的答案吗?那么,下面一组测试可以帮助你达到目的。

1. 你喜欢做一个——

　　A.设计各种风格的高楼大厦的建筑工程师

　　B.不确定

　　C.中外知名的社会科学教授

2.阅读时,你喜欢选读——

　　A. 各种自然科学书籍

　　B.不确定

C.哲学与政治理论书籍

3. 在各种行业中,你倾心于——

A.手工劳动

B.不一定

C.音乐

4. 你愿意——

A.指挥几个人工作

B.不确定

C.和同事们一起工作

5. 你一向热衷阅读——

A.军事与政治的实事记载

B.不一定

C.富有情感和幻想的作品

6. 你愿意做一个戏剧工作者而不愿做一个机械工程师?

A.不是的

B.不确定

C.是的

7. 你所沉迷的音乐是——

A.轻松活泼的

B.介于 A、C 之间

C.富于感情的

8. 你爱想入非非?

A.不是的

B.不一定

C.是的

9. 你认为,对那些有错误但富于文化教养的人,如医生、教师等,进行侮辱是不应该的。

A.是的

B.不确定

C.不是的

10. 在各门课程中,你喜欢——

A.数学

B.不确定

C.语文

情

商

以上 10 道题目,选 A 得 0 分,选 B 得 1 分,选 C 得 2 分。加起来得到一个总分。

如果你得到的总分为 14~20 分,那么说明你是个敏感、好感情用事的人。通常心肠软,易受感动;富于幻想,守时过分不务实际,缺乏耐性与恒心,不喜欢接近粗犷的人、做笨重的工作。在团体活动,常常由于不着实际的看法和行动而彭响团体的工作效率。最好避免从事接触实际的工作。

如果你得到的总分为 10~13 分,那么说明你是个较理智、现实的人。生活中一般性的问题,你都能理智、客观地处理,但间或乃不免有冲动、感情用事的时候。要学会驾驭自己的情感。

如果你得到的总分为 0~9 分,那么说明你是个理智、注重现实的人。多以客观、坚强、独立的态度处理当前的问题,但是有时可能会表现得过分骄傲、无情,缺乏应有的柔情。

情商提高:学会自省

诚如孔子所说:"人苦于不自知。"人的很多迷惑和苦难都是不自知的结果。比如人类的眼睛演化的结果是只能朝外看,看得见别人眼中的刺,却看不到自己眼中的梁木。那么如何才能提高察觉自我情绪的能力呢? 孔子的传人荀子提出了一个好方法:吾日三省吾身。

为了看见自己,人类发明了镜子,但镜子只能照出人的外貌,却看不见人的内心,内省就是人们为了看见更真实的自己,而发明的一面能照出内在自我的镜子。

被誉为"网络英雄"的搜狐公司总裁张朝阳描述自己的心路历程时说,那就是一种不断克服心理误区、不断严格自省的过程。他说自己在美国时是处于完全不受重视的状态,

强大的学习、考试竞争压力,以及创业后强大的市场竞争压力很容易就使得自己原本健康的心态走向误区。因此,他学会通过自省,在第一时间发现内心的这一片片乌云,即不良的情绪和心态,尽快将其围剿,让自己的心情永远保持明朗的晴空。这也正是我们所说的"操之在我"、不受外界干扰的心态,这样才能最大程度地开发自己的潜能。

自省是自我动机与行为的审视与反思,用以清理和克服自身缺陷,以达到心理上的健康完善。它是自我净化心灵的一种手段,情商高的人最善于通过自省来了解自我。自省是现实的,是积极有为的心理,是人格上的自我认知、调节和完善。自省同自满、自傲、自负相对立,也根本不同于自悔、自卑这种消极病态的心理。

当你学会了内省,就等于找到了人生中的金矿,而这时的你就是一块最闪亮的金子,你就一定能够在自己的人生中闪耀出金子般的光泽。而认识了自己,你就是成为了一座金矿,你就能够在自己的人生中展现出应有的风采。认识了自我,你就成功了一半。

哲学家亚里士多德认为,对自己的了解不仅仅是最困难的事情,而且也是对人最残酷的事情。凡属对自身的审视都需要有大勇气,因为在触及到自己某些弱点,某些卑微意识时,往往会令人非常难堪、痛苦。不论是对自己、对自己的偏爱物、对自己的民族传统、对自己的历史,都是这样。但是,无论是痛苦还是难堪,你都必须去正视它。不要害怕对自己进行深入的思考,不要害怕发掘自己内心不那么光明,甚至很阴暗的一面。

自我省察不仅仅是对自己的缺点的勇于正视,它还包括对自己的优点和潜能的重新发现。勇士称号不仅属于手执长矛、面对困难所向无敌的人,而且属于敢于用锋利的解剖刀解剖自己、改造自己,使自己得到升华和超越的人。强者在自省中认识自我,在自省中超越自我。自省是促使强者塑造良好心理品质的内在动力。

从心理上看,自省所寻求的是健康积极的情感、坚强的意志和成熟的个性。它要求消除自卑、自满、自私和自弃,消除愤怒等消极情绪,增强自尊、自信、自主和自强,培养良好的心理品质。自省者审视自我,使个性心理健康完善,摆脱低级情趣,克服病态畸形,净化心灵。自省有助于强者伦理人格的完善和良好心理品质的培养,同时也成为强者的特征之一。

自我省察对每一个人来说都是严峻的。要做到真正认识自己,客观而中肯地评价自己,常常比正确地认识和评价别人要更困难得多。

情商

能够自省自察的人,是有大智大勇的人。心平气静地对他人、对外界事物进行客观的分析评判,这不难做到。但这把手术刀要是伸向自己的时候,就未必让人心平气静、不偏不倚了。然而,自我省察是自我超越的根本前提。要超越现实水平上的自我,必须首先坦白诚实地面对自己,对自身的优缺点有个正确的认识。

在人生道路上,成功者无不经历过几番蜕变。蜕变的过程,也就是自我意识提高、自我觉醒和自我完善的过程。

人的成长就是不断地蜕变,不断地进行自我认识和自我改造。对自己认识得越准确越深刻,人取得成功的可能性越大。在每个人的精神世界里,都存在着矛盾的两面:善与恶,好与坏,创造性和破坏欲。你将成长为怎样的人,外因当然起作用,但你对自己不断地反思,不断地在灵魂世界里进行自我扬弃,内省所起的作用是不能低估的。任何只停留在外表的修饰美化,如改变口才、风度、衣着等,都无法使人真正得到成长。要彻底改变旧我,要成长为一个真正的人,必须有一颗坚强的心,来支撑着你去经历更高层次的蜕变。

常常会遇到这样一些人,他们身上有些缺点那么令人讨厌:他们或爱挑剔、喜争执,或小心眼、好忌妒,或懦弱猥琐,或浮躁粗暴……这些缺点不但影响着他的事业,而且还使他不受人欢迎,无法与人建立良好的交际。许多年过去了,这些人的缺点仍丝毫未改。细究一下,这些人心地并不坏,他们的缺点未必都与道德品质有关,只是他们缺乏自省意识,对自身的缺点太麻木了。本来,别人的疏远,事业的失利,都可作为对自身缺点的一种提醒。但都被他们粗心地忽略了,因而也就妨碍了自身的成长。

一个真正成熟的人,应该在充分认识客观世界的同时,充分看透自己。用诚实坦白的目光审视自己,通常是很痛苦的,因此,也是很可贵的。人有时会在脑子里闪现一些不光彩的想法,但这并不要紧,人不可能各方面都很完美、毫无缺点,最要紧的是能自我省察。

柏拉图说:"内省是做人的责任,没有内省能力的人不会是个成功的人,人只有透过自我内省才能实现美德与道德的兼顾,才能真正地认识自我。"认识自我,是每个人自信的基础与依据。即使你处境不利,遇事不顺,但只要你的潜能和独特个性依然存在,你就可以坚信:我能行,我能成功。

一个人在自己的生活经历中,在自己所处的社会境遇中,能否真正认识自我、肯定自我,如何塑造自我形象,如何把握自我发展,如何抉择积极或消极的自我意识,将在很大程度上影响或决定着一个人的前程与命运。

苏格拉底说:"一个没有检视的生命是不值得获得的。"换句话说,你可能渺小而平庸,也可能美好而杰出,这在很大程度上取决于你是否能够反省,充分地认识自己。内省不仅是了解自己做了什么,最重要的是通过它了解自己真正的意图。每个人都有巨大的潜能,每个人都有自己独特的个性和长处,每个人都可以通过自省发挥自己的优点,通过不懈的努力去争取成功。

美国第三大超市连锁机构的创立者桑德斯,曾经是一个街角杂货店的普通雇员。他在一家自助餐馆中就餐的时候,突然开始了这样的思考:我真的只能做一个普通的店员吗?就在就餐快要结束的时候,他突发奇想——自助餐馆的形式同样可以用于杂货店!尽管许多业内人士认为这样不可行,甚至对他冷嘲热讽,加以嘲笑,可是桑德斯认为这绝对是一种极佳的经营方式。后来在这种内省后的理智的动力下,他坚定地执行着自己的目标,最终这种自助式超市概念使他成为现代超市之父。

拥有自省就等于拥有一个砍伐树木的锐利斧头,就看你如何利用这把斧子为自己砍出一条路。许多成功人士都早已知道从内省中激发自己的优势和潜能,只不过把自省和自我激励结合得天衣无缝。当你身处逆境或人生的低谷之时,内省可以帮助你产生一个个绝妙的构想,即使暂时无法证明这种妙想的可行性,但只要你坚信自己的能力,人们终会了解你在自省中所取得的成就。

不断的内省可以使头脑更敏捷,就如同身体要经常进行有规律的运动才能更强健的道理一样,头脑也需要经常地锻炼,在这种自我反省的锻炼中开发自己潜在的能量。这时你的心灵就像一个打开了的降落伞,可以带你去任何奇妙神秘的地方。同样在内省时你若是发现自己不断背弃事实,或者试图扭曲事实时,就要问问自己:

"为什么我不愿接受这种情况?"

"我够理智吗?还是被暂时的表象所蒙蔽?"

"我要怎样才能改变这种现状?"

大多数人通过别人对自己的印象和看法来看自己,为获得别人对自己的良好反映而苦心迎合。但是,仅凭别人的一面之词,把自己的个

情商

人形象建立在别人身上，就会面临严重束缚自己的危险。因此，只能把这些溢美之词当作自己生活中的点缀。人生的棋局该由自己来摆，不要从别人身上找寻自己，应该经常自省并塑造自我。

第2节 精确的自我评估

了解自己的资源、能力与局限

中国有一句古话："知人者智，自知者明"。古希腊戴尔菲神殿上也镌刻着这样一句箴言——"认识你自己"。

可见自我认识或者叫自我意识能力是一种可贵的心理品质。自我认识或自我意识，是指个体对自己的存在、自己与他人和周围事物的关系以及对自己行为诸方面的意识或认识，自我意识包括自我观察、自我评价、自我体验、自我控制等形式。

避免当局者迷

尼采曾经说过："聪明的人只要能认识自己，便什么也不会失去。"正确认识自己，才能使自己充满自信，才能使人生的航船不迷失方向。正确认识自己，才能正确确定人生的奋斗目标。只有有了正确的人生目标，并充满自信，为之奋斗终生，才能此生无憾，即使不成功，自己也会无怨无悔。

但是，精确的认识自己并不是一件容易的事情。人们常说：旁观者清。这是因为了解外界的事物需要的是观察力、推理能力和分析能力，这些属于智商范畴，并不太受情商的影响，只是经常被运气所左右。而认识自己，就需要较高的情商。人在开始准备了解自己之前，都对自己怀有各种期望，如果在了解自己的过程中，发现自己的能力不及自己的期望，自然会产生失望的情绪，从而低估了自己的其他能力；相反的，如果在了解自己的过程中，发现自己的能力远远超出自己的期望，自然也会产生惊喜的情绪，从而高估了自己的其他能力。只有情商高的人，善于控制自己的情绪，才能在平和的心态中对自己进行精确的评估。

有一位老师,常常教导他的学生说:人贵有自知之明,做人就要做一个自知的人。惟有自知,方能知人。有个学生在课堂上提问道:"请问老师,您是否了解您自己呢?"

"是呀,我是否知道我自己呢?"老师想,"嗯,我回去后一定要好好观察、思考、了解一下我自己的个性,我自己的心灵。"

回到家里,老师拿来一面镜子,仔细观察自己的容貌、表情,然后再来分析自己的个性。

首先,他看到了自己亮闪闪的秃顶:"嗯,不错,莎士比亚就有个亮闪闪的秃顶。"

他看到了自己的鹰钩鼻:"嗯,英国大侦探福尔摩斯——世界级的聪明大师就有一个漂亮的鹰钩鼻。"

他看到自己的大长脸:"嗨!大文豪苏轼就有一张大长脸。"

他发现自己个子矮小:"哈哈!鲁迅个子矮小,我也同样矮小。"

他发现自己有一双形如"八"字的大撇脚:"呀,卓别林就有一双大撇脚!"

于是,他终于有了"自知"之明。

第二天,他对他的学生说:"古今中外名人伟人聪明人的特点集于我一身,我是一个不同于一般的人,我将前途无量。"这样的"自知",还不如"无知"为妙。

纪伯伦在其作品里讲了一只狐狸觅食的故事:狐狸欣赏着自己在晨曦中的庞大的身影说:"今天我要用一只骆驼作午餐!"整个上午,它奔波着,寻找骆驼。但是当正午的太阳照在它的头顶时,它再次看了一眼自己几乎消失的身影,于是说:"或许一只老鼠也就够了。" 之所以犯了两次截然不同的错误,与它选择"晨曦"和"正午的阳光"作为镜子有关。晨曦不负责任地拉长了它的身影,使它错误地认为自己就是万兽之王,并且力大无穷、无所不能,而正午的阳光又让

情商

它对着自己已经缩小了的身影忍不住妄自菲薄。

大师笔下的这只狐狸为上述故事中老师那样的人做出了最好的譬喻。不能很好地认识自己的人，千万别忘记了上帝为我们准备了另外一面镜子，这面镜子就是"反躬自省"四个字，它可以映射出落在心灵上的尘埃，提醒我们"时时勤拂拭"，使我们认识真实的自己。

世界上没有两片完全相同的树叶，人也一样。正确认识自己，既看到自己的长处，也认识到自己的不足，给自己正确定位，这样才能自信地去迎接机遇和挑战，创造更多的成功和欢乐。

有名言说：走自己的路，让别人说去吧。但是事实上，只有情商高的人才能控制住自己的情绪不因他人的评论而武断地感到沮丧或是自满。

达尔文当年决定放弃行医时，遭到父亲的斥责："你放着正经事不干，整天只管打猎、捉狗拿耗子的。"达尔文在自传上透露："小时候，所有的老师和长辈都认为我资质平庸，我与聪明是沾不上边的。"

沃尔特·迪斯尼当年被报社主编以缺乏创意的理由开除，建立迪斯尼乐园前也曾破产好几次。

爱因斯坦4岁才会说话，7岁才会认字。老师给他的评语是："反应迟钝，不合群，满脑袋不切实际的幻想。"他曾遭到退学的命运。

牛顿在小学的成绩一团糟，曾被老师和同学称为"呆子"。

这些成功的人并不在意别人对他们的讥讽和否定，坚持了下来。而很多人却因为他人无谓的评价而消沉下去，他们会认为既然受到了批评，就一定是自己的问题，但是他们并不去真正深刻地剖析自己，使自身的价值不幸的埋没在他人的批评中。

戴高乐说："眼睛所看着的地方，就是你会到达的地方，惟有伟大的人才能成就伟大的事，他们之所以伟大，是因为决心要做出伟大的事。"而伟大的人之所以有要做出伟大的事的决心，就是他们在评价自己的时候能够不受他人的影响。

人的价值在自己身上

在一次职业经理人的培训课上，负责培训的管理专家手里高举着一张20美元的钞票，面对会议室里的200个职业经理人，问道："我这里有20美元，你们谁想要？"所有人都把手举了起来。

管理专家接着说："我打算把这20美元送给你们中的一位，但在这之前,请允许我做一件事。"说着,他将钞票揉成一团,然后问:"还有谁要。"还是有不少人举起手来。

管理专家又说:"那么,假如我这样做又会怎么样呢?"他把钞票扔到地上,又踏上一只脚,并且用脚碾它。然后他拾起已经变得又脏又皱钞票,说:"现在谁还要?"仍然有人举起手来。

管理专家总结道:"朋友们,你们已经上了一堂很有意义的课。无论我如何对待那张钞票,你们还是想要它,因为它并没有失去它的价值。它依旧值 20 美元。人生路上,我们会无数次被自己的决定或碰到的逆境击倒、欺凌甚至碾得粉身碎骨。我们会发现,自己懦弱或是鲁莽、懒惰或是无知、冲动或是愚钝,我们觉得自己似乎一文不值。但无论发生什么,或将要发生什么,你们都永远不会丧失价值,你们依然是无价之宝。你们的缺点和失误就像这 20 美元上的褶皱和灰尘。生命的价值不依赖我们的所作所为,也不仰仗我们结交的人物,而是取决于我们本身!"

人们常常被自己的期望蒙住了双眼,而忽略了人的真正的价值所在,只在意那些看起来似乎是十分重要的细枝末节。

一个男孩子已经十五六岁了,可是一点男子汉的气概都没有,他的父亲为此很是苦恼。于是,他的父亲去拜访一位著名的搏击教练,请他训练自己的孩子。

教练说:"你把孩子留在我这里。三个月以后,我一定可以把他训练成真正的男人,不过,这三个月里面,你不可以来看他。"父亲同意了。

三个月后,父亲来接儿子。教练安排孩子和一个搏击高手进行一场比赛,以展示这三个月的训练成果。

只见搏击高手一出手,孩子便应声倒地。他站起来继续迎接挑战,马上又被打倒,他就又站起来——就这样来来回回一共 16 次。

教练问孩子的父亲:"你觉得你孩子的表现够不够男子气概?"

　　父亲说:"我简直羞愧死了!想不到我送他来这里受训三个月,看到的结果是他这么不经打,被人一打就倒。"

　　教练说:"我很遗憾,因为你只看到了表面的胜负。你有没有看到你儿子那种倒下去立刻又站起来的勇气和毅力呢?这才是真正的男子气概啊!"

　　男孩的父亲仅仅认为能够拥有把对方击倒的力量才是一个男子汉,而教练才真正的明白,不屈不挠的精神,虽然被击倒但是坚持站起来继续战斗的勇气才是"男子汉"这个名词的真正内涵。

　　从前,有一个非洲的农场主,一心想要发财致富。一天傍晚,一位珠宝商前来借宿。农场主对珠宝商提出了一个藏在他心里几十年的问题:"世界上什么东西最值钱?"

　　珠宝商回答道:"钻石最值钱!"

　　农场主又问:"那么在什么地方能够找到钻石呢?"

　　珠宝商说:"这就难说了。有可能在很远的地方,也有可能在你我的身边。我听说在非洲中部的丛林里蕴藏着钻石矿。"

　　第二天,珠宝商离开了农场,四处收购他的珠宝去了。农场主却激动得一宿未合眼,并马上做出一个决定:将农场以低廉的价格卖给一位年轻的农民,就匆匆上路,去寻找远方的宝藏。第二年,那位珠宝商又路过农场,晚餐后,年轻的农场主和珠宝商在客厅里闲聊,突然,珠宝商望着书桌上的一个石块两眼发亮,并郑重其事地问农民:"这块石头是在哪里发现的?"

　　农民说:"就在农场的小溪边发现的,有什么不对吗?"

　　珠宝商非常惊奇地说:"这不是一块普通的石头,这是一块天然钻石!"

　　随后,他们在同样的地方又发现了一些天然钻石。后来经勘测发现,整个农场的地下蕴藏着一个巨大的钻石矿。而那位去远方寻找宝藏的老农场主却一去不返。听说他成了一名乞丐,最后跳进尼罗河里了。

　　自信的人目标执著,满怀信心地去做事。一个抛弃农场寻找钻石的人的故事,告诉了我们这样一个道理:老农场主的失败根源于他对自身的资源缺乏充分的了解,因而也就失去了成功的前提。我们每个人身上都有巨大的潜力等待我们去开发,敢问路在何方,路在脚下。不要追求虚无飘渺,好高骛远,不着边际。最可贵的宝藏往往不在远方,而在于我们自身。这也就是我们成功的客观基石。我们每个人身上都有巨大的潜力等待我们去开发,去利用。

发现你独特的价值

当我们了解了什么是一个人的价值所在,接着就要了解如何客观的做出自我评价。为什么要进行客观的自我评价呢?因为人的能力,也就是人的"具体"的价值是各不相同的,只有在适合的领域内才能充分地实现一个人的价值。

美国女影星霍利·亨特曾经竭力避免自己的银幕形象被定位为"短小精悍的女人",结果走了一段弯路。后来在经纪人的指导下,她重新根据自己身材娇小、个性鲜明、演技极富弹性的特点给自己做了重新的定位,出演了《钢琴课》等影片,一举夺得戛纳电影节的"金棕榈"大奖和奥斯卡大奖。文学巨匠歌德也曾经因为没有给自己一个正确的定位,错以为自己是一个当画家的料子,结果白白浪费自己十多年的光阴。这些都是自己没有给自己一个正确定位的结果,也就是没有一个正确的自我意识。

只有对自我价值做出一个客观的评价,根据自己的实际状况来确定自我意识,才能给自己的人生做最恰当的定位。很多成就显著的人的成功,首先得益于他们有着正确的自我评价和自我定位。为了达到比较客观地认识自己的目的,应尽可能地把自我评价与别人对自己的评价相比较,在实际生活中反复衡量。

通过认识别人来认识自己,是认识自我的重要途径。心理学家提出的"镜中之我"理论所揭示的正是这个问题。"镜中之我"就是指人是通过观察别人对自己行为的反应而形成自我意识、完成自我评价的。另一种是通过自我观察来认识自己。自我观察也有不同途径:

一是通过智力实践活动。人根据自己在记忆、理解、观察、想像、推理等经常的智力活动中的稳定表现,来认识自己在智力方面的能力。通过这些智力活动,他相信自己有着何种的记忆、理解、观察、想象、推理等能力。

二是通过自己反复的情感体验,来体察自己有何种情感特征、有何种意志特征等等。内省智力是人类独有的,而且也是人类智力的高级形态。荀子那种"三省乎己"的精神正表现了古代贤哲的高度内省智慧和对内省智力的不懈追求。

比之锁链和监狱,思想更能够限制人,因此,解放思想才能够真正

情商

解放人。要大胆,不要束缚住自己的手脚。成功和走运的人一般都是大胆的,最胆小怕事的人往往是最不走运和难以成功的。幸运可能会使人产生勇气,反过来勇气也会帮助你得到好运。所以大胆些,会有强大力量帮助你。大胆不等于莽撞,不是有勇无谋。而那些强大力量就是我们自身所具有的潜力:精力、技能、判断力、创造力,以及由此而散发出的个人魅力,使得你能够通过这力、创造力,以及由此而散发出的个人魅力,使得你能够通过这个魅力吸引和凝聚你意料之外的资源。

一个青年人的学习成绩很好,但是毕业后却屡次碰壁,一直找不到理想的工作。他觉得自己怀才不遇,对社会感到非常失望。他为没有伯乐来赏识他这匹“千里马”而愤慨,甚至因此伤心绝望。怀着极度的痛苦,他来到大海边,打算就此结束自己的生命。

正当他即将被海水淹没时,一位老人救起他。老人问他为什么要走绝路。青年人说:“我得不到别人和社会的承认,没有人欣赏我,所以觉得人生没有意义。”

老人从脚下的沙滩上捡起一粒沙子,让年轻人看了看,然后随手扔在了地上。老人对青年人说:请你把我刚才扔在地上的那粒沙子捡起来。”

“这根本不可能!”青年低头看了一下说。

老人没有说话,从自己的口袋里掏出一颗晶莹剔透的珍珠,随手扔在了沙滩上。然后对青年人说:“你能把这颗珍珠捡起来吗?”

“当然能!”“那你就应该明白自己的境遇了吧?你要认识到,现在你自己还不是一颗珍珠,所以你不能苛求别人立即承认你。如果要别人承认,就要想办法使自己变成一颗珍珠才行。”青年人低头沉思,半晌无语。

有的时候,你必须知道自己只是普通的沙粒,而不是价值连城的珍珠。你要出人头地,必须要有出类拔萃的资本才行。要使自己有别于海滩上的沙粒,就要使自己成为一颗珍珠。

一只乌鸦坐在树上,整天无所事事。一只兔子看见乌鸦,问:“我能够像你那样,整天坐在那里什么事情也不干吗?”乌鸦答道:“当然可以。”于是,兔子就在树下坐下休息。突然一只狐狸出现了,它跳向兔子,把兔子给吃掉了。这个故事的寓意是:要想坐在那里什么事情也不干,你必须坐(做)得非常非常高。

测试:你的性格类型适合选择何种职业

职业选择是人生的一项非常重要的抉择,它不仅决定了人们的一生将从事什么工作,而且也在很大程度上决定了一个人一辈子的生活内容和生活方式。要选择一项适合自己的职业,不是一件随随便便的事情。除了需要了解各种职业的情况和要求以外,还需要全面客观地认识自己的观念、态度、能力、兴趣和性格,其中,性格在职业选择中占有不可忽视的地位。

观念可以建立,态度可以改变,能力可以提高,兴趣可以培养,我们经常可以看到一个人在走上工作岗位之后,很短的时间内就全身散发出职业的气息。但是一般而言,在人们开始选择职业之前,性格就已经定型,除非遇到能够严重影响心理状况的重大事件,否则终其一生,一个人的性格也不会有太大的改变。

既然性格很大程度上决定职业的成功与否,职业的成功与否很大程度上决定人生的幸福与否,那么了解自己的性格特点,从而选择适合自己的职业,就是一个人在年轻时必须要做的事情了。

在这里,我们选择了美国心理学家霍兰德(T.L.Holland)性格特征量表。根据性格特征与职业选择的关系,霍兰德把性格划分为六种类型,在选择职业的问题上,这六种不同性格的人具有明显的差异。这份量表分为 R、I、A、S、E、C 六个分量表,每个分量表包含 8 道题目。请根据自己的实际情况作出回答。如果某题目的描述符合你的现实状况,则该题目的答案为"是",否则为"否"。如果拿不定主意,你也可以选择"不清楚"。

R

1. 你曾经将钢笔全部拆散加以清洗并能独立地将它装配起来吗?

2. 你会用积木搭出许多造型,或小时候常拼七巧板吗?

3. 你在中学里喜欢做实验吗?

4. 你喜欢尝试着做一些木工、电工、金工、钳工、修钟表、印照片等其中的一件或几件事情,或对织毛线、绣花、剪纸、裁剪等很感兴趣吗?

5. 当你家里有些东西需要小修小补时(诸如窗子关不严了,门锁上而忘带钥匙了,凳子坏了,衣服不合身了等等),常常是由你亲自做的吗?

6. 你常常偷偷地去摸弄不让你摸弄的机器或机械(诸如打字机、摩托车、电梯、机床等)吗?

7. 你觉得身边有一把镊子或老虎钳等手工具,就会有许多便利吗?

8. 看到老师傅在做活,你能很快地、准确地模仿吗?

I

1. 你对电视或单位里的智力竞赛很有兴趣吗?

2. 你经常到书店或图书馆翻阅图书(非虚构作品,即文艺小说除外)吗?

3. 你常常会主动地做一些有趣的习题吗?

4. 你总想要知道一件新产品或新事物的构造或工作原理吗?

5. 当同学或同事不会做某一道习题来请教你时,你能给他讲清楚吗?

6. 你常常会对一件想了解,但又无法详细了解的事物,想象出它将是什么样子,或者将怎么变化吗?

7. 看到别人在为一个有趣的难题讨论不休时,你会加入进去吗?或者即使不加入讨论,也会一个人思考很久,直到你觉得解决了为止吗?

8. 看推理小说或电影时,你常常试图在结果出来以前分析出谁是罪犯,并且这种分析时常和小说或电影的结局相吻合吗?

A

1. 你对戏剧、电影、文艺小说、音乐或者美术中的某一两个领域较感兴趣吗?

2. 你常常喜欢对文艺界的明星评头论足吗?

3. 你曾参加过文艺演出或写出诗歌、短文被墙报或报刊采用,或参加过业余绘画训练吗?

4. 你喜欢把自己的住房布置得优雅一些而不喜欢过分豪华而拥挤吗?

5. 你觉得你能较准确地评价别人的服装、外貌以及家具摆设等的美感如何吗?

6. 你认为一个人的仪表美,主要是为了表现一个人对美的追求,而不是为了得到别人的赞扬或者是美慕吗?

7. 你觉得工作之余坐下来听听音乐,看看画册或欣赏戏剧等,是你最大的乐趣吗?

8. 遇到有美术展览会、歌星演唱会等活动,常常有朋友来约请你一起去吗?

S

1. 你常常主动给朋友写信或者打电话吗?

2. 你能列出五个你自认为够朋友的人吗?

3. 你很愿意参加学校、单位或社会团体组织的各种活动吗?

4. 你看到不相识的人遇到困难时,能主动去帮助他,或向他表示你同情与安慰的心情吗?

5. 你喜欢去新场所活动并结交新朋友吗?

6. 对一些令人讨厌的人,你常常会由于某种理由原谅他、同情他、甚至帮助他吗?

7. 有些活动,虽然没有报酬,但你觉得这些活动对社会有好处,就积极参加吗?

8. 你很注意你的仪容风度,并且认为这主要是为了让别人产生良好的印象吗?

E

1. 你觉得通过买卖赚钱,或通过存银行生利息很有意思吗?

2. 你常常能发现别人组织的活动的某些不足,并提出建议让他们改进吗?

3. 你相信如果让你去做一个商人,一定会在很短的时间内积累大量财富吗?

4. 你你在上学时曾经担任过某些职务(诸如班干部、课代表、卫生员等)并且自认为干得不错吗?

5. 你有信心去说服别人接受你的观点吗?

6. 你的心算能力较强,不对一大堆的数字感到头痛吗?

7. 做一件事情时,你常常事先仔细考虑它的利弊得失吗?

8. 在别人跟你算帐或讲一套理由时,你常常能换一个角度考虑,而发现其中的漏洞吗?

C

1. 你能够用一两个小时坐下来抄写一份你不感兴趣的材料吗?

2. 你能按领导或老师的要求尽自己的能力做好每一件事吗?

3. 无论填报什么表格,你都非常认真吗?

情
商

4. 在讨论会上,如果不少人已经讲的观点与你的不同,你就不发表自己的意见了吗?

5. 你常常觉得在你周围有不少人比你更有才能吗?

6. 你喜欢重复别人已经做过的事情而不喜欢做那些要自己动脑筋摸索着干的事情吗?

7. 你喜欢做那些已经很习惯了的工作,同时最好这种工作责任心可以小一些,工作时还能聊聊天,听听歌曲吗?

8. 你觉得将非常琐碎的事情整理好,或由于你的工作,使有些事情能日复一日地运转很有意思吗?

分别统计你在每个分量表的得分。R 代表"现实型",I 代表"研究型",A 代表"艺术型",S 代表"社会型",E 代表"企业型";I 代表"常规型"。如果你在某一部分得分最高,说明你属于该种类型的人。

现实型的人不重视社交,而重视物质的、实际的利益。他们遵守规则,喜欢安定,感情不丰富,缺乏洞察力。在职业选择上,他们希望从事有明确要求、需要一定的技能技巧、能按一定程序进行操作的工作,如机械、电工技术等。

研究型的人有强烈的好奇心,重分析,好内省,比较慎重。他们喜欢从事有观察、有科学分析的创造性活动和需要钻研精神的职业,如科学研究等。

艺术型的人想象力丰富,有理想,易冲动,好独创。他们喜欢从事非系统的、自由的、要求有一定艺术素养的职业,即音乐、美术、影视、文学等与美感直接或间接有关的职业。

社会型的人乐于助人,善于社交,易合作,重视友谊,责任感强。他们希望从事那些直接为他人服务,为他人谋福利或与他人建立和发展各种关系的职业。如教育、医疗工作等。

企业型的人喜欢支配别人,有冒险精神,自信而精力旺盛,好发表自己的见解。他们愿意从事那些为直接获得经济效益而活动的职业。如经营管理、产供销等方面的职业。

常规型的人易顺从,能自我抑制,想象力较差,喜欢稳定、有秩序的环境。在职业选择上,他们愿意从事那些需要按照既定要求工作的、比较简单而又比较刻板的职业。如办公室事务员、仓库管理员、非技术操作工等。

情商提高：建设核心竞争力

狐狸很聪明，知道很多事情；而刺猬只知道一件重要的事情。狐狸策略也很多，是一种狡猾的动物，能够设计出无数复杂的策略偷偷向刺猬发动进攻，狐狸从早到晚在刺猬巢穴的周围徘徊，寻找机会吃掉刺猬。狐狸行动迅速，皮毛光华，动作敏捷，阴险狡猾，看上去准是赢家。

当刺猬不小心碰到狐狸的时候，狐狸闪电般扑上去。刺猬立刻蜷缩成一个圆球，浑身尖刺，指向四面八方。狐狸遇到这种防御，只好停止进攻。

狐狸回到森林以后，又开始策划新的进攻方案。

狐狸和刺猬之间的这种争斗每天都要发生，但是尽管狐狸比刺猬聪明，刺猬总是屡战屡胜。

我们把环境比作狐狸，把自己比作刺猬。尽管环境总在变化，而且变化复杂难以预测，但如果我们能够成为一只刺猬，有一技之长就能够对付环境的变化。一技之长也可以叫做核心能力，所以要缔造自己的核心能力。

核心能力是一种独特的技能，这种技能只有我有，或者只有少数人有，能够给自己带来很好的价值。有了这种能力，在与环境的竞争当中，就能够任凭风浪起，稳坐钓鱼船。就会充满自信，不会每天忧心忡忡，担心明天的面包在哪里，什么时候会被裁员或下岗。

早一点掌握这种观点，并能够彻底领悟和实践的人，会达到"海阔凭鱼跃，天高任鸟飞"的境界。但是，人的天赋是不同的，有的人学习了一辈子，可能还不如别人在半天时间内领悟的东西多，那么如何才能打造自己的核心竞争力呢？还是要去努力的奋斗，走一些弯路是不可避免的，但是如果你不走，你就永远不知道前方有些什么。当然，如果你发觉自己走上了弯路，就要及时停下来，寻找新的方向。情商低下的人往往不愿意舍弃已经做出的努力，殊不知放弃意味着更大的回报，舍不得放弃，就会在错误的路上越走越远。

既然有可能走弯路，那么是否可以同时在多个领域内发展呢？如果你只是抱着学习的态度，或者你还有时间去作尝试，那么答案还是肯定的。否则，就要专心做好眼前的工作，即使这份工作可能并不能发挥你的长处。意大利著名男高音歌唱家卢西亚诺·帕瓦罗蒂回顾自己走过的成功之路时，曾说过他父亲告诉他的一句话："如果你想同时坐

情商

两把椅子,只会掉到两把椅子之间的地上。在生活中,你应该选定一把椅子。"

这是为什么呢?就像那个频频被击倒又站起来的男孩那样,既然顽强是男子汉气概的最好表现之一,那么敬业就是任何核心竞争力的组成部分。除非你不去工作,只要你在工作,就必须敬业。没有敬业精神,在任何领域内都不可能取得成功。

一个法国人来到美国准备打工,这个法国人不会说英语,既然不会说英语就不能和别人沟通,所以老板说你只能扫厕所。他非常珍惜这个岗位,他想我也没有别的本事,就扫厕所吧。他每天努力擦这个厕所,擦得墙能照见人,室内除了香味以外,什么异味都没有了。结果这个饭店来的人很多,都来这里吃饭。后来,隔壁饭店发现那个饭店怎么人丁那么兴旺,怎么不来我这里?他向客人询问,你们怎么都到那儿去,能不能到我这儿来?客人说那个饭店厕所好,我们到那儿去是为了上厕所。隔壁老板才知道原来是厕所把客人都吸引去,厕所搞得好是那个扫厕所的法国人的功劳。隔壁老板就来挖扫厕所的法国人,被这个法国人的老板发现了,老板还蒙在鼓里呢,不知道为什么顾客到我这里吃饭,还以为他的饭菜好吃。一听说是法国人干的,他就召集大堂经理和厕所经理开会:既然扫厕所都能扫这么好,当大堂经理没问题,从明天起,厕所经理做大堂经理,大堂经理去扫厕所。

做好自己的本职工作,在自己的领域内成为专家,做名副其实而不是徒有虚名的专家。如果你是政府官员,你掌握的权力是对国家资源的调动,就要充分利用手中的资源来促进国家的进步,如果你的知识不足,就要利用专家的智慧弥补自己知识的不足,多听专家的建议,这样你才能够为人民的利益去行政。做老师就要给人以智慧和启迪,为学生的时间和未来负责任。做研究生你就要认真去研究,不要在研究期间看到别人赚钱眼红,为

眼前的小利而损坏了长远的研究能力，这种做法会使你不仅没有现在，也没有未来。无论如何你是一个人，你首先就要认真做一个人。

所以，没有伟大的事情，只有需要满怀爱心去做的细微事情。没有什么伟大的人，只有伟大的挑战，而必须面对的只是你我一样的人。如果你在洗盘子，就好好洗。如果你扫马路，你就认真地扫。如果你作画写诗，你就认真地做，你没准儿就会成为齐白石、莎士比亚。

伟大的事并不是伟人把它做伟大的，而是平凡的人把它努力做到最好，让它成就了那份伟大。爱默生在他那篇《论自信》的散文里说："在每一个人的教育过程中，他一定会在某个时期发现，虽然广大的宇宙间充满了好的东西，可是除非他耕作那一块给他耕作的土地，否则他绝得不到好收成。"

与众不同才能争创一流

有一个衣服破烂，满身补钉的男孩，跑到摩天大楼的工地向一位衣着华丽、口叼烟斗的建筑承包商请教："我该怎么做，长大后才会跟你一样有钱？"

这位高大强壮的建筑承包商看了小家伙一眼，回答说："我先给你讲一个三个掘沟人的故事吧。一个挂着铲子说，他将来一定要做老板。第二个抱怨工作时间长，报酬低。第三个只是低头挖沟。过了若干年，第一个仍在挂着铲子；第二个虚报工伤，找个借口退休了；第三个呢？他成了那家公司的老板。你明白这个故事的寓意吗？小伙子，去买件红衬衫，然后埋头苦干。"

小男孩满脸困惑，百思不解其中的道理，问道："为什么我要买件红衬衫呢？"。承包商指着那批正在脚手架上工作的建筑工人，对男孩说："看到那些人了吗？他们全都是我的工人。我无法记得他们每一个人的名字，甚至有些人，跟本连面孔都没印象。但是，你仔细瞧他们之中，只有那边那个晒得红红的家伙，穿一件红色衣服。我很快就注意到，他似乎比别人更卖力，做得更起劲。他每天总是比其他的人早一点上工。工作时也比较拼命。而每天收工的时候，他总是最后一个下班。就因为他那件红衬衫，使他在这群工人中间特别突出。我现在就要过去找他，派他当我的监工。从今天开始，我相信他会更卖命，说不定很快就会成为我的副手。"

"小伙子，我也是这样爬上来的。我非常卖力工作，表现得比所有

情商

人更好。但是如果当初我跟大家一样穿上蓝色的工人服，那么可能就没有人会注意到我的表现了。所以，我天天穿红衬衫，同时加倍努力。不久，我就出头了。老板注意到我，升我当工头。后来我存够了钱，终于自己当了老板。"

这个小男孩学会了他在走上成功途中的第一堂课，日后他成为了美国首屈一指的大富翁，他就是钢铁大王卡内基。

尽管你的天空不是最亮最大的那一片，但它是属于你的。尽管你不是最优秀的，但是你是独特的。所以发出属于自己的声音，你就是优秀的。俄国作家契诃夫说："有大狗，也有小狗。小狗不该因为大狗的存在而心慌意乱。所有的狗都应当叫，就让它们各自用自己的声音叫好了。"

一首小诗启示了我们基本的做人的道理：

如果你不能成为山顶上的一棵松，
就做一棵小树生长在山谷中，
但必须是小溪边最好的一棵小树。
如果你不能成为一棵小树，就做灌木一丛
如果你不能成为一丛灌木，就做一片草地
让公路上也有几分欢娱。
如果我们不能都做船长，我们就做海员。
如果你不能做一条公路，就做一条小径。
如果你不能做太阳，就做一颗星星。
不能凭大小来断定你的输赢，
但不论做什么你都要做最好的一名。

第3节 构筑自信

深信自己的价值和能力，自我肯定

自信，简而言之就是相信自己的能力。

一个人的能力并不是恒定的，它受到自信的深刻影响。能力能够发挥到什么程度有极大的弹性。像化学反应中的催化剂一样，自信心可以将人的一切潜能都调动起来，将各部分的功能推进到最佳状态。

自卑是无所不在的

一位顶尖的杂技者，参加了一次极具挑战性的演出，这次演出的内容是在两座山之间的悬崖上架设一条钢丝，而他的表演节目是从钢丝的一头走到另一头。杂技者走到悬空的钢丝一头，然后注视着前方的目标，伸开双臂，慢慢地挪动着步子，终于顺利地走了过去。这时，整座山响起了热烈的掌声和欢呼声。

杂技者对所有的人说："我要再表演一次，这次我要绑住我的双手走到另一边，你们相信我可以做到吗？"

所有人都知道，走钢丝要保持平衡，主要依靠的就是双手，而他竟然要把双手绑上，难度可想而知。但是，因为大家都想看到精彩的表演，所以都说："我们相信你的，你是最棒的！"

杂技者真的用绳子绑住了双手，然后用同样的方式，注视着前方的目标，慢慢地挪动着步子，终于又走了过去。

"太棒了，太不可思议了！"所有的人都报以热烈的掌声。

但没想到的是，杂技者又对所有的人说："我再表演一次，这次我

情商

同样绑住双手,还要把眼睛蒙上,你们相信我可以走过去吗?"

大家被杂技者的勇气感染了,都说:"我们相信你!你是最棒的!你一定可以做到的!"

杂技者从身上拿出一块黑布蒙住了眼睛,用脚慢慢地摸索到钢丝,然后一步一步地往前走,所有的人都屏住呼吸,为他捏一把汗。终于,他走过去了!

表演好像还没有结束,只见杂技者从人群中找到一个孩子,然后对所有的人说:"这是我的儿子,我要把他放到我的肩膀上,我同样还是绑住双手蒙住眼睛走到钢丝的另一边,你们相信我吗?"

所有的人都说:"我们相信你!你是最棒的!你一定可以走过去的!"

"真的相信我吗?"杂技者问道。

"相信你!真的相信你!"所有人都这样说。

"我再问一次,你们真的相信我吗?""相信!绝对相信你!你是最棒的!"所有的人都大声回答。

"那好,既然你们都相信我,那我把我的儿子放下来,换上你们的孩子,有愿意的吗?"杂技者问。

这时,整座山上鸦雀无声,再也没有人敢说"相信"两个字了。

现实生活中,我们常说:我相信我自己,我是最棒的!当我们在喊这些口号时,我们是否真的相信自己?我们会不会一出门或遇到一点困难,就忘掉刚才所喊的这句话呢?

其实人人有自卑情结。一个人不可能在所有的方面都独占鳌头,正所谓"人外有人,山外有山"。当人们以自己的弱项同别人的强项相比较时,会产生自卑情结。一个穷困潦倒的人见到别人衣食无忧时会不会自卑?衣食无忧者见到别人腰缠万贯时会不会自卑?腰缠万贯者见到世界首富时会不会自卑,世界首富见到穷困潦倒的人无所事事地晒太阳的时候又会不会自卑?

当受到外界压力或别人不承认你的贡献的时候,比如说:谈判时别人故意指出你的一些很不重要的缺点以打击你,或者在公司时常出现的冷嘲热讽,虽然事实上你已经在客观条件的允许下做到了最好,但是还是有人说:"这个事怎么做成这样。"这时你是否对自己的能力提出怀疑,从而出现不自信?

正因为自卑无处不在,所以自信才成为宝贵的品格。

第二章 自我察觉能力

自信是成功的垫脚石

自信是一种心态,它有三种类型:对自己能力的信任、对自己能力不足的信任和对自己能力潜能力的信任。

自己能做的事,就相信自己能做,这就是能力自信。勇敢地将自己的能力体现出来,该出风头时就出风头,不惧人言,不拘泥于前人之法。这种自信是保证将自己的能力正常而充分发挥的前提,是自信的第一个层次,也是一般人对于自信的理解。如果拥有这份自信,又没有任何外界影响,那么你所体现出来的就是做你能力范围之内的事。

但是人的能力终究是有限的,每个人都有自己不能做的事,而人又是社会的,总会有人对你无能为力之事做出这样或那样的闲言闲语、否定评价,甚至是抵毁中伤。这时人往往会受到打击,会由于对自己某项具体行为的不自信,而导致对自己能力的不自信。认为自己窝囊,什么事情都不行。这种情况在心理学上称为"晕轮效应",最后的结果是整个人像蜗牛一样缩在壳里,连应有的能力都展示不出来了。一定要避免这种情况的发生。

自己不能做的事,就是不能做,坦然处之,不会觉得自己不能做就低人一等,更不会影响自信心。

有这样一个笑话:

一个人从俱乐部休闲回来,向朋友吹嘘说:"我今天在俱乐部,把象棋世界冠军和网球世界冠军杀得落花流水。"

朋友很惊讶,忙问他是怎样做到这一点的。

他说:"这很简单呀。我打网球赢了象棋世界冠军,下象棋赢了网球世界冠军。"

以往人们听到这个笑话的时候,总是嘲笑这个"双料冠军"的投机取巧,但是很少有人问这样一个问题:被打败的象棋世界冠军和网球世界冠军是什么感受?

很显然,他们并没有因为自己在不擅长的项目上输给一个普通人而感到失去信心。他们放弃了自己的长处,而拿自己的短处区和别人比试,本身就是充满信心的表现。你是象棋高手,却没有必要因为网球不行而自卑;同样,即使你的象棋一塌糊涂,也并不影响你在网球场上的霸主地位。

一件事的成功,往往需要很多因素。而事实上你只要具备其中做

情
商

好关键性因素的能力就可能获得成功，而你在非关键因素上的非能力，并不会影响成功。但往往在外界影响下，对非能力的不自信会导致对整个事情的不自信，导致失败。

比如，一名应届的大学毕业生应聘到某企业负责某项产品的市场营销工作。应聘者相信自己对市场敏锐的嗅觉和自己的深厚的理论功底，但唯一的不足是缺乏相关的工作经验。于是，很多人在你面前或背后说他做不好这件事，一定会失败，因为你没有经验。而当这种议论更多地被他知道后，就可能开始怀疑、畏缩，信心受到打击，而造成失败。但事实上，做这项工作一定要具备经验吗？答案是：不一定。不仅仅是营销，在很多部门中，最重要的一点是就是创新，不能搞经验主义。只要具备了创新的能力，即使没有经验，也可以去学习经验。与老员工的一次全面的交流或者深刻地领悟一本相关的书籍，就可以达到这个目的了。

工作有两种，其中一种是一个人一年365天每天都做同样的事情，相当于做了一次重复364次，所以，只要你用心，用一天的时间就可以学会别人一年的知识。他山之石，可以攻玉，你在其他方面的经验，可以对现在的工作有独到的启发。因此，没有必要因此而自卑。

对能力不足的自信，是能力自信的保证，你如果既有了能力自信，也有对能力不足的自信，就会在外界的影响下充分展示自己的能力，而且还会扩大自己的能力范围，从而发掘自己的潜能力。

人的能力是有很大潜力的，你本身具备的能力可能并未被你所认识，而人往往会遇到身处困境的情况，有一些事，你可能没有能力做，但你必须做，如背水一战，这时候你必须相信自己能做到，这就是潜能力的自信，这并不是盲目自信，而是相信能做好自己必须做的事。

人与人之间其实没有什么区别，只是有人敢做、有人敢说、有人敢想。别人做成的事你也能做，所以你要自信。

相信自己有本领去做事，从而心安理得、心平气和叫自信；相信自己没本事，而不去做事，不做仍然心安理得，也是自信。古语说：君子有所为，有所不为。明知不可为而为之，是勇气的表现；明知不可为，不理会别人的责难，坚决不为，不仅是一种勇气，更是一种智慧的体现。

所以做到自信，必须要懂得自信的真正涵义：有一个良好的心态；对能做的事情相信能够做好，对不能做的事情坦然处之或努力学习不能做的事；培养自信的习惯；对事情进行分析，找出事情获得成功的关键因素，对非关键性因素，要正确面对自己的无能为力，要学会抓大放小,扬长避短。

有了自信心,就会使人明白一时的名和利并不是唯一评估成功的标准。名声和钱只是浮在表面的成绩。自信心使人奋不顾身去克服所有的失败、障碍和恐惧的,是因为他们知道要完成一个重大的使命。而失败者往往缺乏这种内在的力量和动机,所以他们才会在做事时经常迟到和缺席,为了追上生活的步调而导致情感的疲乏,由于没成就、沉闷、焦急和沮丧而引起空虚感,经常说:谢天谢地,今天又是星期五了。

让我们看一看下面这个人"失败"的履历:

1832 年失业,同年竞选州议员失败;

1833 年做生意失败;

1834 年侥幸当选州议员;

1835 年失去他的爱人;

1836 年曾因为精神紧张而濒临崩溃

1838 年竞选议会主席失败;

1843 年竞选国会议员失败;

1846 年终于当选国会议员;

1848 年提名竞选国会议员失败;

1849 年被拒绝而未能任职于国有土地管理局;

1854 年竞选参议员失败;

1856 年提名竞选副总统失败,

1858 年竞选参议员再度失败;

1860 年,经过 28 年的努力,他终于登上了职业生涯的顶峰,当选为美国总统。他就是亚拉伯罕·林肯,美国历史上最伟大的总统之一。如果没有自信心支持他不断的奋斗,历史上就会多出一名默默无闻的乡村律师,而少了一名伟大的政治家,世界历史将为之改变。

自信心是怎样影响一个人的能力的呢?一位心理学家想知道人的情绪对行为到底会产生什么样的影响。于是他做了一个实验。首先,他让七个人穿过一间黑暗的房子,在他的引导下,这七个人都成功地穿了过去。然后,心理学家打开房内的一盏灯。在昏黄的灯光下,这些人看清了房子内的一切,都惊出一身冷汗。这间房子的地面是一个大水池,水池里有几条大鳄鱼,水池上方搭着一座窄窄的小木桥,刚才他们就是从小木桥上走过来的。

心理学家问:"现在,你们当中还有谁愿意再次穿过这间房子呢?"恐惧的情绪在弥漫,没有人回答。过了很久,有三个胆大的站了出来。

其中一个小心翼翼地走了过来,速度比第一次慢了许多;另一个颤巍巍地踏上小木桥,走到一半时,竟趴在小桥上爬了过去;第三个刚走几步就一下子趴下了,再也不敢向前移动半步。心理学家又打开房内的另外九盏灯,灯光把房里照得如同白昼。

这时,人们看见小木桥下方装有一张安全网,只由于网线颜色极浅,他们刚才根本没有看见。"现在,谁愿意通过这座小木桥呢?"心理学家问道。这次又有五个人站了出来。

"你们为何不愿意呢?"心理学家问剩下的两个人。"这张安全网牢固吗?"这两个人异口同声地反问。

积极乐观的心态能够让人战胜恐惧。失败的原因往往不是能力低下,而是信心不足,还没有上场,精神上首先败阵。乐观的心态能够让你战胜恐惧,成功地通过一座座险桥。

自信的人善于自我发掘,正确认识自己的强项和弱点,并且能够利用自己的优势面对环境。自信的人开放并敢于接受建议,不是自我封闭,善于自嘲而表现出轻松幽默。活跃,自信的人善于表现自己,自我尊重,由于自尊而受到别人的尊重,又不会因为过于自尊而表现出拘谨。自信的人勇于面对困难,心胸坦然。自信的人能够与人直接沟通,并且善于沟通,不是拒人于千里之外。自信的人诚实,虚伪是不自信的表现。自信的人对他人的需要敏感,善于发现别人的需求。

自信心是如此的重要,所谓"自助者,天必助之"。自信是一个有志于主宰自己人生的人最基本的素质,是获得成功的垫脚石。

情绪影响自信心

基于情商的自信是在正确认识自己和理解别人的前提下获得的,因此是有坚实基础的自信。事物本身并不影响人的情绪,人的情绪只受对事物的看法影响。不要把自己想成一个失败者,而要尽量把自己当成一个赢家。人生来没有什么局限,无论任何人,每个人内心都有一个沉睡的巨人。不要自我贬低,我们都有力量变得强大。

萨特是法国存在主义哲学大师,他获得过诺贝尔奖,但是却拒绝领奖。他有一句名言:"一个人想成为什么,他就会成为什么。"

如果你认为自己被打倒了,那么你就真的被打倒了。如果你想赢,但是又认为自己没有实力,那么你就一定不会赢。如果你认为自己会失败,那么你就一定会失败。如果你不认为自己聪明,那你就永远不会成为一个聪明人。如果你不认为自己心地善良,即使他人认为你是一个善良人也无济于事。胜利始于个人求胜的意志和信心,胜利者都属于有信心的人。一个不能说服自己能够做好所赋予任务的人,不会有自信心。

自信心受到挫折会改变人的命运。自信能够给人以满足感,产生满意、快乐、积极的情绪,可以化渺小为伟大,化腐朽为神奇。自卑自弃会削弱、摧毁。

作家三毛在上初中二年级的时候,数学成绩不太好,数学老师不喜欢她。每到上数学课她就紧张,总是头昏脑涨,数学成绩更是每况愈下。由于数学成绩不好,经常遭到数学老师羞辱,所以她特别怕数学老师的眼光。后来发展到出现了心理障碍,一想到上数学课就紧张,再到后来,每天早上醒来,一想到今天上学有数学课,就立刻昏倒了。

三毛真的没有所谓的"数学细胞"?恐怕不见得。大家可能都听说过爱迪生小时候的故事:

大发明家爱迪生还在上小学的时候,一次手工课上,老师要求学生们把家庭作业拿出来展示。每个孩子都拿出了像模像样的作品,只有爱迪生拿出了一把歪歪扭扭的木头小板凳。老师看了非常失望,对爱迪生说:"只要你能找出比这更烂的板凳,我就不给你得零分。"

爱迪生从桌子里拿出了两个更加歪歪扭扭的木头小板凳,说:"这是我开始做的两个,我想以后我能做得更好些。"

正是这个手工课差点得零分的爱迪生,用自己的一双巧手和智慧的大脑发明了无数神奇的机器,彻底改变了人们的生活。是什么是爱迪生有如此大的进步呢?是自信。虽然第三把小板凳仍然是废品,但是爱迪生从中看到了自己的进步,从而坚信自己将来可以做得更好。

心理学有一个著名的实验,受试者在心中默念:千万不要想像粉色的带斑点的大象。这时受试者的大脑中就会出现粉色的带斑点的大象的形象。在一次足球比赛中,最后点球大战。一个世界级的足球名将竟然把球踢出了门外,教练问他为什么会失败?他说他满脑子想的就是千万别

把球踢出门外。

不良的情绪会消磨人的自信,影响人的生活,尤其是长期形成的惯性思维,和固定的对待事物的情绪,会影响人的一生。

20世纪初,有个爱尔兰家庭要移民美洲。他们非常穷困,于是辛苦工作,省吃俭用三年多,终于存够钱买了去美国的船票。当他们被带到甲板下睡觉的地方时,全家人以为整个旅程中他们都得呆在甲板下。而他们也确实这么做,仅吃着自己带上船的少量饼干充饥。

一天又一天,他们以充满嫉妒的眼光看着头等舱的旅客在甲板上吃着奢华的大餐。最后,当船快要停靠爱丽丝岛(当时美国移民局所在地,外国人移民美国的第一站,现在已近开辟为博物馆)的时候,这家中一个小孩生病了。做父亲的找到船上的服务人员说:"先生,求求你,能不能赏我一些剩菜剩饭,好给我生病的小孩吃。"

服务人员回答说:"为什么这么问,这些餐点你们也可以吃啊。"

"是吗?"父亲惊讶地说,"你的意思是说,整个航程里我们都可以吃得很好?"

"当然!"服务人员以不解的口吻说,"在整个航程里,这些食物也供应给你和你的家人,你的船票只是决定你睡觉的地方。并没有决定你的用餐地点。"

遗憾的是,当这家人知道他们还有这样多的机会以后,他们已经到站了,需要下船了。

这个事例告诉我们很多道理:克服不良的情绪。这家人因为一直很穷,所以到了别人面前产生了严重的自卑感和悲观情绪,以为不可能同别人处于同样的待遇水准上。所以,改变命运先改变思维。不要自我设限,在我们没有做出任何努力之前先不要自我封闭。不要凭想当然办事,你头脑中的不可能是你自己想出来的不可能。伟人之所以伟大,是因为我们跪着,如果我们站起来,我们同样是伟大的人。

桌子上面有各种食物,无论你品尝的是什么滋味,都是你自己选择的结果。过去的属于过去,过去不等于现在,你现在正在走向一个崭新的明天,不要用过去的习惯来束缚现在的思维,你现在的选择正为明天打基础。要善于沟通,沟通的前提条件是自信,圣人说:"知之为知之,不知为不知,是知也。"我们每个人都有一张相同的船票,当我们来到这个世界上时,我们已经上船,当我们离开这个世界时,我们就是下船。人生只有一次机会,仅仅一次,因此,充分利用机会,享受生命。

充分利用所拥有的东西的效用,在拥有"船票"时,应充分了解这个用金钱交换得到的通行证有何作用,能为自己在哪些方面带来服务。当然也许把这张船票可以带来的服务写在其背后,这一家人就可以看到,也就不会出现在案例中的尴尬境地。但是,这一家人若是不识字的话,这种方法也就失去其作用。还有关键的一点,这一家人面对的只有一次机会,当他们意识到船票的作用时,已经到达了目的地。如果他们还有下一次机会,就不会有类似的事情发生。但是,在人生中很多事情往往只有一次机会,一旦错过,再无后悔可言,只能面对残酷的现实。

自信者一定会有自己的主见。有一个秘书,领导让他看一篇报告写得如何。他看过来汇报,说:"我认为写得还不错。"领导摇了摇头。

秘书赶快说:"不过,也有一些问题。"领导又摇摇头。

秘书说:"问题也不算大。"领导又摇摇头。

秘书说:"问题主要是写得不太好,表述不清楚。"领导又摇摇头。

秘书说:"这些问题改改就会更好了。"领导还是摇头。

秘书说:"我建议退回这个报告。"

这时领导说了:"这新衬衣的领子真不舒服。"

不要随意猜测领导的意图。明确表达自己的意见,没有必要一定要取得别人的认可。

如果一种工作满足以下三个条件:

你对从事这个工作具有天赋,并且能够成为最好的(坚信"我生来就是干这个的");

你从事的工作具有丰厚的回报;

你对所从事的工作充满激情,乐意去干,享受过程带来的快乐。

那么你将具有远大前途。因为自信来源于激情。离开了对生命、对生活、对工作学习、对自己周围一切的热爱,人便没有了激情,更谈不上自信。因此,我们应该始终保持一颗乐观、充满热爱的心,保持不灭的激情从而用自信、用激情成就自我,感染他人。

三只青蛙掉进鲜奶桶中。第一只青蛙说:"这是命。"

于是它盘起后腿，一动不动等待着死亡的降临。

第二只青蛙说："这桶看来太深了，凭我的跳跃能力，是不可能跳出去了。今天死定了。"于是，它沉入桶底淹死了。

第三只青蛙打量着四周说："真是不幸！但我的后腿还有劲，既然出不去，不如就在这里面游游泳吧。"于是，这第三只青蛙努力地游了起来。慢慢地，鲜奶在它的搅拌下变成了凝固的黄油。在黄油的支撑下，这只青蛙奋力一跃，终于跳出了奶桶。

那些不能为工作而激动的人是令人遗憾。这不仅仅是因为他们永远不会满意，同时也是因为他们永远不会获得任何有价值的东西。

测试：你是个自信的人吗？

下面的测试可以使你了解自己的自信心有多少。

1. 一旦你下了决心，即使没有人赞同，你仍然会坚持做到底吗？

　　是　1　　否　0

2. 参加晚宴时，即使很想上洗手间，你也会忍着直到宴会结束吗？

　　是　0　　否　1

3. 如果想买性感内衣，你会尽量邮购，而不亲自到店里去吗？

　　是　0　　否　1

4. 你认为你是个绝佳的情人吗？

　　是　1　　否　0

5. 如果店员的服务态度不好，你会告诉他们经理吗？

　　是　1　　否　0

6. 你不常欣赏自己的照片吗？

　　是　0　　否　1

7. 别人批评你，你会觉得难过吗？

　　是　0　　否　1

8. 你很少对人说出你真正的意见吗？

　　是　0　　否　1

9. 对别人的赞美，你总是持怀疑的态度吗？

　　是　0　　否　1

10. 你总是觉得自己不如别人吗？

　　是　0　　否　1

11. 你对自己的外表满意吗？
    是　1　　否　0

12. 你认为自己的能力比别人强吗？
    是　1　　否　0

13. 在聚会上，只有你一个人穿得不正式，你会感到不自在吗？
    是　0　　否　1

14. 你是个受欢迎的人吗？
    是　1　　否　0

15. 你认为自己很有魅力吗？
    是　1　　否　0

16. 你有幽默感吗？
    是　1　　否　0

17. 目前的工作是你的专长吗？
    是　1　　否　0

18. 你懂得搭配衣服吗？
    是　1　　否　0

19. 危急时，你很冷静吗？
    是　1　　否　0

20. 你与别人合作无间吗？
    是　1　　否　0

21. 你认为自己只是个寻常人吗？
    是　0　　否　1

22. 你经常希望自己长得像某人吗？
    是　0　　否　1

23. 你经常羡慕别人的成就吗？
    是　0　　否　1

24. 你为了不使他人难过，而放弃自己喜欢做的事吗？
    是　0　　否　1

25. 你会为了讨好别人而打扮吗？
    是　0　　否　1

26. 你勉强自己做许多不愿意做的事吗？
    是　0　　否　1

27. 你任由他人来支配你的生活吗？
    是　0　　否　1

情

商

28. 你认为你的优点比缺点多吗?
    是　0　　否　1

29. 即使在不是你错的情况下,你也会经常跟别人说抱歉吗?
    是　0　　否　1

30. 如果在非故意的情况下伤害了别人的内心,你会难过吗?
    是　0　　否　1

31. 你希望自己具备更多的才能和天赋吗?
    是　0　　否　1

32. 你经常听取别人的意见吗?
    是　0　　否　1

33. 在聚会上,你经常等别人先跟你打招呼吗?
    是　0　　否　1

34. 你每天照镜子超过三次吗?
    是　1　　否　0

35. 你的个性很强吗?
    是　1　　否　0

36. 你是个优秀的领导者吗?
    是　1　　否　0

37. 你的记忆力很好吗?
    是　1　　否　0

38. 你对异性有吸引力吗?
    是　1　　否　0

39. 你懂得理财吗?
    是　1　　否　0

40. 买衣服前,你通常先听取别人的意见吗?
    是　0　　否　1

　　将所有分数相加。如果你的总分数是 25~40 分,说明你对自己信心十足,明白自己的优点,同时也清楚自己的缺点。不过,在此真诚告诫:如果你的得分接近 40 分的话,别人可能会认为你很自大狂傲,甚至气焰太胜。你不妨在别人面前谦虚一点,这样人缘才会好。

　　如果你的总分数是 12~24 分,说明你对自己颇有自信,但是你仍旧或多或少缺乏安全感,对自己产生怀疑。你不妨提醒自己,在优点和长处各方面并不输于人,特别强调自己的才能和成就。

如果你的总分数是 11 分以下,显然说明你对自己不太有信心。你过于谦虚和自我压抑,因此经常受人支配。从现在起,尽量不要去想自己的弱点,多往好的一面去衡量;先学会看重自己,别人才会真正看重你。

情商提高:善用皮格马利翁效应

美国心理学家在某个中学做了一个所谓的未来发展的测验,声称通过一份试卷能够预测学生未来的成就。实验结束后,他们宣布了一份名单,说是从学生中发现的最有前途的人。通过二十年的跟踪观察,名单中的孩子果然个个都做出了非凡的成就,比成绩更好的同班同学都要优秀。

但是实际上,二十年前的那些试卷心理学家们看都没看就丢在了纸篓里,那份名单中的学生完全是随机选择的,没有任何数据说明他们是天才。只是教师对心理学家的测试结果深信不疑,于是唤起了他们对这些学生的期待。而这种期待不自觉地从老师的言行中表现出来,而这些学生从老师的唇边眼角,和蔼的语气,鼓励的目光中增强了自尊心和上进心,从而取得了更好的成绩。而学生自己对心理学家的测试结果也是深信不疑,于是唤起了他们对自己的期望,使他们有信心去取得成功。心理学上把这叫做"皮格马利翁效应"。

尊重与信任能够加强或者满足人们普遍具有的自尊和渴望获得信任的心理需要,比如,即使别人工作中有一些差错,如果跟他说:这次虽然没有完成任务,但是你具有干好工作,完成任务的潜力,只要你好好努力,相信你绝不会干得比别人差。这种寓批评于尊重、肯定之中的话,就容易让他充满信心,干劲倍增。

上述事实说明自信心是可以激励的,自信心的建立是心理上正向强化的结果。自信是竞争中的心理力量,积极的心理自我暗示产生自信意识,消极的心理自我暗示则会产生消极、自卑意识。

汉景帝时的名将周亚夫奉命平定七国之乱,大军开动之前,士卒都认为此战毫无必胜的把握,一股悲观失望的情绪在军营中蔓延。周亚夫眼见士气低落,苦思冥想,终于想出了一个鼓舞士气的好方法。出发之前,周亚夫在一座寺庙前面集合军队,宣布说:"兄弟们,我们今天就要出征了,究竟打胜仗还是打败仗?我们请求神明帮我们做决定。我这里有一百枚铜钱,把它们丢到地上,如果正面朝上,表示神明指示此战必定胜利;如果反面朝上,就表示这场战争将会失败。"

听了这番话,部将与士兵虔诚祈祷,磕头礼拜,求神明指示。周亚夫将一百枚铜钱朝空中一掷,结果,落地时一百枚铜钱居然枚枚正面朝上。大家一看非常振奋,认为此乃天意,这场战争必定胜利。周亚夫命人将这百枚铜钱钉在地上,上覆青纱,说得胜后再来酬神。

后来,部队开到前方,每个士兵士气高昂,个个都信心十足,奋勇作战,果真打了胜仗。班师回朝后,大家将铜钱捡起一看,才发现这一百枚铜钱两面都是一样的。

自信是一种可贵的心理素质,它一方面需要培养,一方面也要依赖知识、体能、技能的储备。在培养自信时,要注意以下两点:

一是注重暗示的作用。"暗示"是一个心理学名词,主要指人的主观感受、主观意识对人行为的一种引导、控制作用。在做一件事情之前,心中默念"我能干好"或"我能行"之类的话,这样可使自己从心理上放松,久而久之也培养了自信的素质。

二是从行为方式上给人以自信的印象。行为方式是人的思维令人把你同自信联系起采。与人谈话时,要看着对方的眼睛,不躲避对方的目光,对方越是强硬,自己越是信心不足,就越要死死地盯着;说话时要尽量清晰而有条理地表达,不让声音憋在嗓子里。如果对要叙述的内容心中没底,就预演一番,这样心里就有把握了。

知识、技能的储备是自信的基础,具备了足够的知识和实际能力,自信就会发自内心。就好像俗语中常说的:手中有粮,心中不慌。但不必强装自信,否则,越是显得自信,就越是不自信。

有一次,发明大王爱迪生和他的助手们制作了一个电灯泡。那是他们辛苦工作了一天一夜的劳动成果。随后,爱迪生让一名年轻学徒将这个灯泡拿到楼上另一个实验室。这名学徒从爱迪生手里接过灯泡,小心翼翼地一步一步走上楼梯,生怕手里的这个新玩意儿滑落。但他越是这样想,心里就越紧张,手也禁不住哆嗦起来,当走到楼梯顶端时,灯泡最终掉在了地上。

爱迪生没有责备这名学徒。过了几天,爱迪生和助手们又用一天一夜的时间制作出一个电灯泡。做完后,还得有人把灯泡送到楼上去。爱迪生连考虑都没考虑,就将它交给了那名先前将灯泡掉在地上的学徒。这一次,这个学徒安安稳稳地把灯泡拿到了楼上。

事后,有人问爱迪生:"原谅他就够了,何必再把灯泡交给他拿呢?万一又摔在地上怎么办?"爱迪生回答:"原谅不是光靠嘴巴说说的,而是要靠做的。"

爱迪生运用出色的智慧，使得小学徒的自信心没有受到打击，从而出色的完成了第二个任务，没有在同样的地方再次跌倒。要知道，失败并不是降低自信的理由，而屡败屡战之人才是充满自信的人，因为他们知道在失败之后必有成功在等待，所以他们不惧怕失败，而敢于不断的尝试。

自信者不依赖别人

　　自信对一个人的成功至关重要，这句话每个人都可能听过无数次，但是真正从骨子里自信起来，的确是很难做到的事情，而且不是人人能够做到。

　　当我们需要建立信心的时候，可以在脑子里不断强化这个观点：这种情况下人都是有自卑情结的，任何人都会自卑。接下来我们开始对自己说：自己肯定没有问题，我了解的肯定比别人多，研究的肯定比别人深，他们是外行，我是内行。而且要知道，人都是有自卑情结的，人与人其实没有什么不同，只是有人敢说、有人敢做、有人敢想。

　　这样不断正向强化，我们就会马上信心大增。如此会形成良性的循环，让我们更加有信心，更加热爱生活。

　　自信可以从根本上改变一个人。一个女孩相貌很丑，因此对自己缺乏信心，不爱打扮自己，整天邋邋遢遢，做事也不求上进。心理学家为了改变她的状态，让其他人都对女孩说"你真漂亮"、"你真能干"、"今天表现不错"等赞美性的话语。经过一段时间的努力，人们惊奇地发现，女孩真的变漂亮了。

　　其实，她的长相并没有变，而是精神状态发生了变化。她不再邋遢了，变得爱打扮、做事积极、爱表现自己了。怎么会发生这么大的变化？究其根源正在于自信心。因为她对自己有了信心，所以使大家觉得她比以前漂亮了许多。

　　在许多成功者的身上，我们都可以看到超凡的自信心所起到的巨大作用。这些事业成功的人，在自信心的驱动下，敢于对自己提出更高的要求，并在失败的时候看到希望，最终获得成功。

　　想要增强自信的人必须要了解，自信不是：吹嘘你的能力和成就，贬低别人的能力和成就，夸大你的能力或行为，叫别人让路给你。

　　真正的自信是态度平静、言语温和的人。有自信的人重视的是他们目标的完成与否，而非证明给别人看他们是伟大的。

有自信的人倾向于:将他们的力量用在有用的目标上,让其他的人谈他们的能力和行为,集中精神在目标而非活动上,坦然表达对别人的崇敬和感激,他们明白他们目标的价值,深信自己能达到这些目标,因此他们以行动表示,而非以言语表示。

　　最重要的是,每个人都要明白"求人不如求己"这个道理。有个人遇到了难题,无法解决,就到庙里去拜观音,希望救苦救难的观世音菩萨能够帮助他渡过难关。他到庙里一看,还有另外一个人也在拜观音,他越看越觉得那个人的面目好像莲花宝座上的观世音菩萨,就问那个人:你是谁?

　　那人说:我是观音菩萨。

　　他又问:你来这里干什么?

　　观音菩萨说:我遇到了难题,化解不开。

　　他不解地问:那你拜自己有什么用呢?

　　观音菩萨说:求人不如求己啊!

　　那人恍然大悟,掉头而去。

　　自信,其实最简单的含义就是相信自己。只有相信自己才能算是自信。这虽然表面上如废话一般,但是却是朴素的真理。自信心强的人遇到问题都是先求己,不求人。同样,若是遇到问题不忙于求人,自己先设法解决问题,久而久之,不就可以增强自信吗?

　　自信就是要从点滴的进步开始。

　　自信就是要为自己鼓掌加油。

　　自信就是勇敢地面对失败,百折不挠。

　　自信就是要发挥自己的长处,在人生的旅途上不断闪光。

　　自信就是信任自己,对明天充满希望。

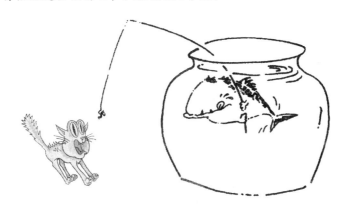

第三章　自我管理能力

第1节 情绪自制力

能够克制冲动和矛盾的情绪

大多数高情商的人,都是能够把情绪控制得收放自如的人。这时,情绪已经不仅仅是一种感情的表达,更是一种重要的生存智慧。如果控制不住自己的情绪,随心所欲,就可能带来毁灭性的灾难。情绪控制得好,则可以帮你化险为夷。

冲动的情绪伤害自身

一头驴子和一头野牛十分要好。它们经常在一起玩耍,吃草。一天,它们发现一个农夫的果园,果园里有绿油油的青草,还有成熟的果子。于是它们偷偷地进入果园,在里面悠闲地吃着青草和树上的果子。而园丁一点也没有察觉。驴子吃饱之后,很想引吭高歌一曲,野牛就对驴子说:"亲爱的朋友,看在上帝的分上,你就忍耐一下,等我们出了果园,你再唱歌吧!"

驴子说:"我现在真的很想唱歌,作为朋友,你应当支持我才行!"

"可是,可是,要是你一唱歌的话,园丁就会发觉,我们就跑不掉了!"

驴子觉得野牛根本不能理解自己现在的心情,它说:"天下再也没有什么比音乐和歌曲更优雅,更能感动人的了。可惜你对音乐一窍不通,我怎么找了你做朋友呀?"

驴子终于还是没有接受野牛的建议,开始高歌起来,它一唱歌,园丁马上发现了驴子和野牛,就把它们全给逮住了。

驴子不听野牛的劝告,结果既出卖了朋友,又出卖了自己。想一想,你是否也曾因不听朋友的劝告而做过既损人又害己的事?驴子和野牛原本是好朋友,它们偷入园丁的园子,十分悠闲自在让吃草和果子,可以想像它们当时的心情。驴子想唱首歌表达一番自己兴奋的心情,这也是可以理解的。但是,要清楚它们毕竟面临着危险。因为一唱歌就肯定会被园丁发现,驴子不听野牛的劝告,一意孤行,结果它刚开口,就被园丁发现了。现实生活中许多人也是这样。一旦侥幸得逞,就盲目乐观。不顾自己的真实处境,看不到自己面临的潜在威胁,控制不住自己的情绪,任性妄为,结果引火烧身,给自己和朋友带来不必要的麻烦。

所以,你要学会控制自己的情绪。学会审时度势,千万不能放纵自己。每个人都有自己的情绪,而情绪是一种很难控制的东西。但不管怎样,你一定要牢牢控制住它。否则一点细小的疏忽,可能贻害无穷。

二战时期美国著名将领巴顿就是因为不善于控制自己的情绪而吃了大亏。巴顿是个性格暴躁的人,在战场上,面对敌人的时候,暴躁的性格还可以视为勇猛无畏的表现,对待敌人"就像冬天般严酷"。从这一点上来说,巴顿是个不折不扣的猛将。

但是,对待同志"要像春天般温暖"。巴顿从来不懂得这个道理,在面对下属的时候,总是动不动就把情绪发泄出来。

1943 年,巴顿在去战地医院探访时,发现一名士兵蹲在帐篷附近的一个箱子上,显然没有受伤,巴顿问他为什么住院,他回答说:"我觉得受不了了。"

医生解释说他得了"急躁型中度精神病",这是第三次住院了,巴顿听罢大怒,多少天积累起来的火气一下子发泄出来,他痛骂了那个士兵,用手套打他的脸,并大吼道:"我绝不允许这样的胆小鬼躲藏在这里,他的行为已经损坏了我们的声誉!"巴顿气愤地离开了。

第二次来,又见一名未受伤的士兵住在医院里,顿时变脸,劈头盖脸地问:"什么病?"士兵哆嗦着答道:"我有精神病,能听到炮弹飞过,但听不到它爆炸。"(炸弹休克症,就是听到炮弹飞来就会昏厥)

"你个胆小鬼!"巴顿勃然大怒,对士兵骂道,接着又了打他一个耳光,抽出手枪在他眼前晃动,"你是集团军的耻辱,你要马上回去参加战斗,但这太便宜你了,你应该被枪毙。"

很快巴顿的行为被人报告给顶头上司、参谋长联席会以主席艾森豪威尔,他说:"看来巴顿已经达到顶峰了……"虽然艾森豪威尔与巴顿的私交非常的好,但是也不敢公然袒护这位手下爱将。狂躁易怒的性格,使本有前途的巴顿无法再进一步,面对有心理障碍的士兵,不是认真了解情况,加以鼓励,而是大打出手,完全失去了一个指挥官应有的风度修养,破坏了在人们心目中的形象,因此失去了晋升的机会,"遗憾"之余,让人想起了一句话:性格决定命运。

别跟自己过不去

巴顿和那头爱唱歌的驴子一样，因为不能妥善地控制自己的情绪而给别人攻击自己的机会，还有一种人，则是在别人的攻击下，因为不能控制自己的情绪，最后导致了失败。《三国演义》中把周瑜的死因归结于气压于心，抑郁而死，所以后世有"诸葛亮三气周瑜"，最后置周瑜于死地之说。这些都说明了愤怒的情绪如果不加以合理控制是非常可怕的。

东吴水军都督周瑜，有勇有谋，自从跟随孙策打天下，南征北战，为东吴立下汗马功劳。但周瑜心胸狭窄，嫉贤妒能，也因此毁了自己的一生。

孙刘联合抗曹时，周瑜想用火烧毁曹营，因为没有东风而急得病倒了。诸葛亮奉看望周瑜，一句话就说中了他的心事："万事俱备，只欠东风。"后来诸葛亮借东风，周瑜才火烧曹营。周瑜觉得诸葛亮的才能比自己高，下决心要除掉他，于是派人去杀诸葛亮，谁知诸葛亮早已洞悉了他的意图，已经安全地离开了。周瑜气得险些跌倒在地，此为一气。

周瑜为了将荆州夺回来，将刘备骗去娶亲，诸葛亮给赵云三条锦囊妙计。结果周瑜、孙权是"赔了夫人又折兵"，气得周瑜昏死过去。周瑜本来箭疮未愈，因气愤而复发，经众人抢救才醒过来，大叫道："诸葛亮，我绝不罢休！"此为二气。

周瑜佯装替刘备攻打西川，要求刘备在其路过时准备粮草前去慰问，意在伺机杀了他。诸葛亮看穿了周瑜的计策，将计就计，布下四路

大军,在吴军到来后将其团团围住。士兵们高喊:"活捉周瑜!"而探马来报,说刘备、孔明正在军营中饮酒,周瑜气得口吐鲜血,仰天长叹到:"既生瑜,何生亮!"说罢又连吐数口鲜血而死,年仅36岁。

如果周瑜不是心胸狭窄,不为诸葛亮的言行左右自己的情绪,那么他不但不会气伤了自己的身体,反而可以从诸葛亮那里学到很多东西,这一来一去,相差何止千里。

同样被诸葛亮气死的还有王朗。一次两军交锋,王朗自以为辩才无碍,妄图凭借七寸不烂之舌说得诸葛亮退兵,不料反被诸葛亮大骂了一通。王朗年高体弱,本来老年人的涵养应该很好,可惜王朗度量不够,被诸葛亮一番说辞骂得气血上涌,一头栽倒在马下。

俗话说:不挨骂,长不大。同样在三国时期,真正的枭雄都是不怕别人辱骂的。其中最有名的要属曹操。当时袁绍手下的名士陈琳曾写过一篇檄文,不仅大骂曹操,甚至辱及曹家先人。曹操不仅不以之为忤,反而风趣地说陈琳的檄文"可愈头风",后来更是重用陈琳。弥衡也曾当面大骂曹操,还在宴会上全身赤裸以羞辱曹操。曹操虽然怒不可遏,最后用借刀杀人之计害死了弥衡,但是当时曹操却可以控制住怒气,冷静地选择合适的处理方式,既解了心头大恨,又不让自己的声誉受到伤害。

由此可见,虽然周瑜曾经火烧赤壁,打败曹操,但是曹操的情商要比周瑜不知道高出多少倍。所以曹操可以成为君主,而周瑜只能当个英年早逝的名将。

忍得小气,可成大事

正因为人是有感情的动物,所以需要表达自己的情绪,但是你们千万要记住表达情绪一定要分清场合。在参加一个朋友的葬礼前,你得到一个关于自己的好消息,但是你就不能在参加葬礼的时候表现出来,否则就会招来死者亲友的反感,认为你不识时务;同样你在参加一个朋友婚礼的时候,即使再有悲痛的事情,你也不能在婚礼上号啕大哭。"乐而不淫,哀而不伤"历来被看作是自如情绪控制的至高境界,在这下面控制情绪的能力有几种不同的层次。通过一位禅师启发妇人的故事,就可以了解这些不同的能力层次。

古时候有一个妇人,特别喜欢为一些琐碎的小事生气。她也知道自己这样不好,便去求一位高僧为自己谈禅说道,开阔心胸。高僧听了她的讲述,一言不发地把她领到一座禅房中,落锁而去。

妇人气得跳脚大骂。骂了许久,高僧也不理会。妇人又开始哀求,高僧仍置若罔闻。妇人终于沉默了。高僧来到门外,问她:"你还生气吗?"

妇人说:"我只为我自己生气,我怎么会到这地方来受这份罪。"

"连自己都不原谅的人怎么能心如止水?"高僧拂袖而去。

过了一会儿,高僧又问她:"还生气吗?"

"不生气了。"妇人说。

"为什么?"

"气也没有办法呀!"

"你的气并未消逝,还压在心里,爆发后将会更加剧烈。"高僧又离开了。

高僧第三次来到门前,妇人告诉他:"我不生气了,因为不值得气。"

"还知道值不值得,可见心中还有衡量,还是有气根。"高僧笑道。

当高僧的身影迎着夕阳立在门外时,妇人问高僧:"大师,什么是气?"

高僧将手中的茶水倾洒于地。妇人视之良久,顿悟。叩谢而去。

这个故事又告诉人们什么是"气",何苦要"气"。"气"便是不加控制的情绪,是那种别人吐出而你却接到口里的东西。你吞下便会反胃,你不看它时,它便会消散了。气是用别人的过错来惩罚自己的蠢行。夕阳如金,皎月如银,人生的幸福和快乐尚且享受不尽,哪里还有时间去气呢?所以,我们应该学会消消气。

学会排解愤怒,是高情商的一大表现。养身贵在戒怒,戒怒就是养怡身心,尽量做到不生气、少生气,思想开朗,心胸开阔,宽宏大量,宽厚待人,谦虚处世。这样不仅有益于身心健康,也利于提高自己的道德修养和思想水平,于人于己都会有益而无害。

当然,这需要有一颗包容的心,事事宽解为怀。宽容是一种修养,也是一种风度。以海纳百川的胸怀宽以待人,才能让自己心态平和,心胸开阔,心里永远充满阳光。对待自己易怒的情绪,遇事冷静是根本。遇到不如意的事,尽量通过别的途径去解决,动怒不光于事无补,反而对己有害,何苦呢?

愤怒是一种很难控制的情绪,正因为难以控制,所以很容易酿成大祸.甚至丢掉性命。正如培根所说:"愤怒,就像地雷,碰到任何东西都一同毁灭。"还是让我们以平和的心境来对待生活中繁杂的事情吧!小心别伤害了自己,只有平静才是生活的真谛。莎士比亚说:"不要因为您的敌人燃起一把火,您就把自己烧死。"当你的感情掌握了理智时,

情商

你将成为感情的奴隶;当你战胜自己的感情时,才证明你是主宰命运的人。惟此,你才能真正获得自由。

如果你不注意培养自己忍耐、心平气和的性情,培养交往中必需的情商,遇到一丝火星就暴跳如雷,情绪失控,就会把你最好的人缘全都炸掉。

在所有不愉快的情绪中,愤怒是最难摆脱、最不容易控制的,愤怒是最具诱惑性的负面情绪。因为人在发怒时,易于失去理智,让人觉得不可理喻,从而容易破坏良好的人际关系。孔子说:"小不忍则乱大谋。"对于领导者而言,盛怒之下容易造成决策的失误。三国时期,蜀国大将关羽被东吴杀害,刘备悲愤交加,不听诸葛亮的劝阻,怒而兴兵伐吴,为关羽报仇,结果被吴将陆逊以火攻之,火烧连营四十里,惨遭失败。

控制愤怒可以采用忍耐和调整心态两种方式来实现。而使自我更为完善的正确做法应该是积极调整心态,能动地、主观地适应环境的改变;而忍耐则是压抑住自己的情绪,使之不以发怒的形式爆发出来,亦即"心怒而色悦"。一味的忍耐不能真正消除愤怒的威胁,应该在怒气爆发之前利用自我的控制力,在内心将这种恶性的情绪转化到良性的轨道上来。

控制情绪要战胜身体的本能

古罗马诗人奥维德曾经说过:忍耐和坚持虽是痛苦的事情,但却能渐渐地为你带来好处。

这好像是一个很古老的问题,当苏格拉底告诫世人要认识自己的时候,另一个问题也被提了出来:我们为什么要认识自己?认识自己是为了能够了解自己的长处和短处,以便为自己找准一个位置,并且在可能情况下发展自己。其实,不管是认识自己,还是认识这个自然界,人类的最终目的都是为了逃避一种对未知的恐惧,正如黑夜来临的时候,我们本能地要感到害怕一样,因为在黑夜里面有太多我们所无法控制的东西的存在。我们希望过一种自己可以把握的生活,每个人都希望自己的生活是由自己所主宰的,但是没有人能够真正主宰自己的一切,但是你需要了解,自己到底能主宰多少?你是自我控制的吗?你能自我控制吗?你的自我控制力有多大?

发展心理学里有一个经典实验。实验人员给一些 4 岁小孩子每人一颗非常好吃的软糖,同时告诉孩子们可以吃糖,如果马上吃,只能吃一颗；如果等20分钟，则能吃两颗。有些孩子急不可待，马上把糖吃掉了。另一些孩子却能等待对他们来说是无尽期的20分钟，为了使自己耐住性子，他们闭上眼睛不看糖，或头枕双臂、自言自语、唱歌，有的甚至睡着了，他们终于吃到了两颗糖。在美味的奶糖面前，任何孩子都将经受考验。这个实验用于分析孩子承受延迟满足的能力，所谓的延迟满足，就是能够等待自己需要的东西的到来，而不是想到什么就要什么，这是一个很通俗的解释。

这个实验后来一直继续了下去，那些在他们几岁时就能等待吃两颗糖的孩子，到了青少年时期仍能等待，而不急于求成；而那些急不可待，只吃了一颗糖的孩子，在青少年时期更容易有固执、优柔寡断和压抑等个性表现。当这些孩子长到上中学时，就会表现出某些明显的差异。

对这些孩子的父母及教师的一次调查表明，那些在4岁时能以坚忍换得第二颗软糖的孩子常成为适应性较强，冒险精神较强，比较受人喜欢，比较自信，比较独立的少年；而那些在早年以经不起软糖诱惑的孩子则更可能成为孤僻、易受挫、固执的少年，他们往往屈从于压力并逃避挑战。对这些孩子分两级进行学术能力倾向测试的结果表明，那些在软糖实验中坚持时间较长的孩子的平均得分高达210分。

研究人员在十几年以后再考察当年那些孩子现在的表现，研究发现，那些能够为获得更多的巧克力而等待得更久的孩子要比那些缺乏耐心的孩子更容易获得成功，他们的学习成绩要相对好一些。在后来的几十年的跟踪观察中，发现有耐心的孩子在事业上的表现也较为出色。

延迟满足的本质是什么呢？是耐心吗？耐心是一种个性还是一种能力呢？我觉得延迟满足根本上就是一种自我的控制能力，这是一种为了更大的更远的目标而暂时牺牲眼前利益的能力。有些人欲望来的时候就无法控制，一定要马上满足需要，否则就无法

情商

继续做后面的事情;另一些人则能够忍耐和等待,努力去发现机会找到出路,我想这是一种理性的取向,也是人与动物的区别之一。

上瘾这个问题与一个人的生理基础很有关系,当一个人上瘾的时候,在他的生理层次上将会发生很大的变换。

德国不来梅大学的研究人员从一个赌场中找来了 10 名赌博者,让他们用自己的钱下注玩 21 点。在这些人赌博时,研究人员对他们的心率以及唾液中紧张激素皮质醇的含量进行测试,结果发现这些人在下注和打每一手牌时心率和皮质醇的含量都会陡然上升。相比之下,这些人不赌钱而只赌分数时皮质醇的含量则骤然下降。

研究报告的作者之一格哈德·迈尔认为,这一发现非常重要,因为它可能证实了人们在不摄入成瘾物质时也会在生理上出现上瘾症状。迈尔说:"成瘾理论认为,如果你吸食某种成瘾物质,大脑就会释放出超量的多巴胺,在吸毒和饮酒的人身上会出现这种现象。"

他说:"当人们赌博时,他们说也会感到飘飘然。皮质醇也许是造成这种情绪变化的原因。"

近年的科学研究,也已找出赌博成瘾的生理因素。英国科学家格里菲恩博士,对经常参赌者和偶尔参赌者的两组人进行了测试研究。其测试项目是,两组人在玩"老虎机"和电子赌博机后各自的反应。结果发现,两组人都是因参赌而心率加快,在参赌完结后,经常参赌组的人心跳很快恢复正常,而偶尔参赌的人心跳要在很长一段时间才能恢复正常。进一步研究后发现,参赌者心跳加快时,体内会产生一种称为"内啡肽"的化学物质,使人获得异常兴奋和快感。由于经常参赌者对此种物质已产生很强的依赖性,故在赌博结束后,心跳会因这种物质迅速消耗而很快平衡,又需要返赌场,以产生这种物质而获得新的快感。否则,会精神萎靡、坐卧不安。偶尔参赌者对这种物质比较敏感,故他们的快感会延续相当长的时间,不一定非去赌场而重新寻求快感了。当然,他们的这种快感延续期,会同参赌次数、时间、频率成反比地缩短,最后成瘾而变成赌徒。

不能控制自己的情绪也和上瘾一样,是一种不良的习惯。因为情绪的发泄可以缓解内心的压力,从而带来快感,而控制情绪不随意发泄优势是很痛苦的。具有延迟满足能力的程度与一个人的内在生理因素有一定的联系,延迟满足能力强的人,也就是那些不容易上瘾的人,他们对于内啡肽的需要不太敏感。当然,自制力与人的意志程度也有一定的联系,通过适当的训练,人能够增加自己的延迟满足能力,从而达到有效地控制情绪的效果。

测试：测测你的自制力

　　自制力就是在情绪即将爆发时有效控制自己情绪的能力,下面这个小测验可以快速地测试你的自制力究竟如何,能否使你有足够的能力克制自己的情绪。

　　这个测验由一系列陈述语句组成,请你根据自己的实际情况,选择最符合自己特征的描述。选择时请根据自己的第一印象,不要思虑太多。本测试没有速度上的要求,但是请在 5 分钟以内完成所有的题目。答案的选择标准为：

　　A.非常符合　B.有些符合　C.无法确定　D.不太符合　E.很不符合

　　每个题目只有一个最终答案,请选择最符合自己实际情况的答案。

1. 自己想要的东西如果无法得到会很焦虑；

2. 一紧张就直冒汗；

3. 会为一些烦心事而无法入睡；

4. 肠胃功能紊乱,经常腹泻；

5. 不喜欢需要忍耐和细心的工作；

6. 如果在别人的注视下做事情,会表现失常；

7. 我是一个容易生气发怒的人；

8. 假如事情的发展不像自己想象的那样,会怒气冲冲；

9. 会有一慌忙便完全失败的情形；

10. 有过无法控制自己的时候；

11. 当工作进展不顺利的时候,曾经想过放弃；

12. 会因为读一本引人入胜的小说而忘记时间；

13. 无法同时进行几个工作；

14. 给自己定的计划,常常因为主观原因而不能如期完成；

15. 自认为是一个性格倔强、脾气急躁的人；

16. 对于某些事物上瘾；

17. 觉得自己是自私的人；

18. 即使关在笼子里,动物园里的猛兽也让我感到恐惧；

19. 做事讲话容易操之过急,言辞激烈；

20. 看到刀等凶器,会心跳加快。

按照下面的公式计算出你的原始分数 R：

R=A+B×2+C×3+D×4+E×5

最后，请按照下面列表所列的规则，根据你的原始分数 R，找出相应的排名值 P。比如你的原始分数 R 是 81，那么你的排名值 P 就是83。

R	P	R	P	R	P	R	P	R	P
20	1	37	7	54	29	71	65	88	91
21	1	38	7	55	31	72	67	89	92
22	1	39	8	56	33	73	69	90	93
23	1	40	9	57	35	74	71	91	93
24	1	41	10	58	37	75	73	92	94
25	2	42	11	59	39	76	75	93	95
26	2	43	12	60	41	77	76	94	95
27	2	44	13	61	43	78	78	95	96
28	2	45	14	62	46	79	80	96	96
29	3	46	16	63	48	80	81	97	97
30	3	47	17	64	50	81	83	98	97
31	3	48	19	65	52	82	84	99	98
32	4	49	20	66	54	83	86	100	98
33	4	50	22	67	57	84	87		
34	5	51	24	68	59	85	88		
35	5	52	25	69	61	86	89		
36	6	53	27	70	63	87	90		

排名值 P 是一个百分数，对于 P 值的理解是这样的：假如你得到排名值 P 是 83，那就表明你的自制力要比 83% 的人高，反过来也就是说，你的自制力要比 17% 的人低，这说明你的自制力还是不错的。

情商提高：舒缓情绪

有了无法避免的怒气等负面情绪,学着适度地释放它,不要自我封闭。要学会适度宣泄,宣泄是一种排解负性情绪的有效方法。找朋友倾诉或是干脆痛哭一场。男人也可以哭,流泪不丢人。我们应宽解自己,少发脾气,快乐地过好每一天。

有时为缓和四处蔓延的紧张气氛,我们首先应该降低生活节奏,使心情回复平静,不再焦虑暴躁,保持稳定与和谐。曾经有位医生在替一位患病的企业家进行治疗时,劝他多多休息,这位病人愤怒地抗议说:"我每天承担巨大的工作量,没有一个人可以分担一丁点儿的业务。大夫,您知道吗?我每天都得提一个沉重的手提包回家,里面装的是满满的文件。"

"为什么晚上还要批那么多文件呢。"医生讶异地问道。

病人不耐烦地回答:"那些都是必须处理的急件。"

"难道没有人可以帮你忙吗?助手呢?"医生问。

"不行呀!只有我才能正确地批示呀!而且我还必须尽快处理完,要不然公司怎么办呢?"

"这样吧,现在我开一个处方给你,你能否照着做呢?"医生有所决定地说道。

这病人听完医生的话,读一读处方的规定——每天散步两小时;每星期空出半天的时间到墓地一趟,奇怪地问道:"为什么要在墓地呆上半天呢?"

"因为……"医生不慌不忙地回答,"我是希望你四处走一走,瞧一瞧那些与世长辞的人的墓碑。你仔细思考一下,他们生前也与你一样,认为全世界的事都得扛在双肩,而现在都永眠于黄土之中,也许将来有一天你也会加入他们的行列,然而整个地球的活动还是永恒不断地进行着,而其他世人仍是如你一般继续工作。我建议你站在墓碑前好好地想一想这些摆在眼前的事实。"

医生这番苦口婆心的劝谏终于敲醒了病人的心灵,他依照医生的指示,释缓生活的步调,并且转移一部分职责。他知道生命的真义不在急躁或焦虑,他的心境已经得到平和,也可以说他比以前活得更好,当然事业也蒸蒸日上。

制怒的技巧是,当怒火中烧时,立即放松自己,命令自己把激怒的

情

商

情境"看淡看轻",避免正面冲突。当怒气稍降时,对刚才的激怒情境进行客观评价,看看自己到底有没有责任,恼怒有没有必要。有一个爱发脾气的男孩,他父亲给了他一袋钉子,并且告诉他,每当他发怒的时候,就钉一颗钉子在后院的围栏上。男孩钉下了37根钉子。慢慢地,男孩每天钉的钉子减少了,他发现控制自己的脾气要比钉钉子容易。

如果你察觉到自己处于激烈的情绪之中,并且无法忍耐的话,就要试着将情绪发泄到其他地方去,最好是发泄到不会产生任何实质性效果的地方。美国总统林肯就是这方面的高手,它不仅身体力行,还引导周围的人这样做。

一天,陆军部长斯坦顿来到林肯的总统办公室,气呼呼地对他说,一位少将用侮辱的话指责他偏袒一些人。林肯建议斯坦顿写一封内容尖刻的信回敬那家伙。林肯说:"可以狠狠地骂他一顿。"

斯坦顿接受了这个好建议,立刻写了一封措辞强烈的信,然后拿给总统看。

"对了,对了。"林肯高声叫好,"要的就是这个!好好训他一顿,真写绝了,斯坦顿。"

但是当斯坦顿把信叠好装进信封里时,林肯却叫住他,问道:"你要干什么?"

"寄出去呀。"斯坦顿有些摸不着头脑了。

"不要胡闹。"林肯大声说,"这封信不能发,快把它扔到炉子里去。凡是生气时写的信,我都是这么处理的。这封信得好,写的时候你已经解了气,现在感觉好多了吧,那么就请你把它烧掉,再写第二封信吧。"

人总有生气的时候,这种不满情绪堆积在心中是有害的,反击回去或者迁怒给别人都不是上策,林肯的主意最好。

传说中有一个"仇恨袋",谁越对它施力,它就胀得越大,最后堵死我们生存的空间。由此,当我们遇到生气的事情,不必再将怒火重新点燃,实际上这于事无补。你打我一拳,我必定想方设法还你两脚,即使是好汉不吃眼前亏,也必当日后补上——大多数人都会这样想。这样做只能使对抗升级而无助于解决问题,更不论是谁对谁错了。下面这个故事中华盛顿的做事风格给我们带来许多启发:

1754年,身为上校的华盛顿率领部下驻防亚历山大市。当时正值弗吉尼亚州议会选举议员,有一个名叫威廉·佩恩的人反对华盛顿所支持的候选人。据说,华盛顿与佩恩就选举问题展开激烈争论,说了一些冒犯佩恩的话。佩恩火冒三丈,一拳将华盛顿打倒在地。当华盛顿的部下跑上来要教训佩恩时,华盛顿急忙阻止了他们,并劝说他们返回营地。

第二天一早,华盛顿就托人带给佩恩一张便条,约他到一家小酒馆见面。佩恩料定必有一场决斗,做好准备后赶到酒馆。令他惊讶的是,等候他的不是手枪而是美酒。

华盛顿站起身来,伸出手迎接他。华盛顿说:"佩恩先生,人非圣贤,谁能无过。昨天确实是我不对,我不可以那样说,不过你已然采取行动挽回了面子。如果你认为到此可以解决的话,请握住我的手,让我们交个朋友。"从此以后,佩恩成为华盛顿的一个狂热崇拜者。

用理智战胜感情

除了愤怒爆发性的情绪之外,还有许多情绪是慢慢积累的——比如说焦虑,焦虑是一种没有明确原因的、令人不愉快的紧张状态。适度的焦虑可以提高人的警觉度,充分调动身心潜能。但如果焦虑过度,则会妨碍你去应付、处理面前的危机,甚至妨碍你的日常生活。对于这种慢慢积累的情绪,要学会客观地分析产生这种情绪的原因,这种理智的分析可以帮助冷静你的头脑。当你的心情冷静下来以后,你就会逐渐控制以至于消除这些负面的情绪,甚至偷偷嘲笑自己怎么会被那样无谓的情绪缠上身来。

某家石油公司的一些运货员偷偷扣下了给客户的油,卖给别人以中饱私囊,而老板却毫不知情。有一天,来自政府的一个稽查员来找老板,说他掌握了老板的员工非法贩卖石油的证据,要检举他们。但是,如果老板贿赂他,给他一点钱,他就会放他们一马。老板不能认同他的行为及态度。

一方面老板觉得这是那些盗卖石油的员工的问题,与自己无关;但另一方面,法律又有规定"公司应该为员工行为负责"。另外,万一案子上了法庭,就会有媒体来炒作,名声传出去会毁了公司的生意。老板焦虑极了,开始生病,三天三夜无法入睡,一直在想:我到底应该怎么做才好呢?给那个人钱呢?还是不理他,随便他怎么做?

老板决定不了,每天担心,于是,他问自己:如果不付钱的话,最坏的后果是什么呢?答案是:他的公司会垮,事业被毁,但是他不会被关起来。然后呢?他也许要找个工作,其实也不坏。有些公司可能乐意雇用他,因为他很懂石油这个行业。至此,很有意思的是,他的焦虑开始

情商

减轻,然后,他开始思考解决的办法:除了上告或给他金钱之外,有没有其他的路? 找律师呀,他可能有更好的点子。

第二天,老板就去见了律师。当天晚上他睡了个好觉。隔了几天,律师叫他去见地方检察官,并将整个情况告诉他。意外的事情发生了,当老板讲完后,那个检察官说,我知道这件事,那个自称政府稽查员的人是一个通缉犯。老板心中的大石头落了下来。这次经历使他永难忘怀。此后,每当他开始焦虑担心的时候,他就用此经验来帮助自己跳出焦虑。

通过这位石油老板的故事,我们了解到以下步骤可以帮助你勇敢面对焦虑等慢性的负面情绪:

第一步:评估

我怕什么? (或是我焦虑什么?)

我为什么怕(或是我为什么会焦虑)?

要对这些做直截了当地探索,越具体越好,最好拿出纸笔来,清楚地写下来,问题才会明朗,仅用头脑想是不够的。

第二步:理解

纵然我所怕的事情真的发生了,或是最坏的结果发生了,是否真的是那么可怕?

他人是不是也有过类似的遭遇? 他们是不是就完蛋了?

如果真的发生了,我就无法再活下去了吗?

评估及理解是很重要的消除焦虑的两大步骤,因为只有面对可能发生的最坏后果,我们才能从容地面对现在。有句话说:"人死不过如此,就算砍头也不过碗大的疤,20 年后又是一条好汉。"连死都不怕了,还焦虑什么呢? 人需要看破看透,才能放得下,只有放下人的欲念,才有自信。

第三步:再次评估现在的情况

现在的真正问题是什么? (例如担心高考失败的真正问题是什么?可能数学不好,所以会担心高考失败。)

问题的起因是什么(数学不好的原因是什么? 是数学的某一部分不好? 还是数学基础不好?)?

解决的办法有哪些? (再加强数学学习,请家教……)

我决定用哪种办法? (请家教)

什么时候开始?(明天就开始)

第四步:方法的有效度评估

目的是了解此方法有没有帮助,若没有,立刻改变。

一个人,只有当他的内心保持平静,才能奔涌出智慧之源。诸葛亮曾说"宁静以致远"。惟有静,浮动的心绪方才得以回归。

成功学大师奥格·曼狄诺曾写过这样一首小诗,对于那些无法控制自己情绪的人,也许大有裨益:

潮起潮落,冬去春来,夏末秋至,日出日落,
月圆月缺,雁来雁往,花飞花谢,草长瓜熟,
万物都在循环往复的变化中。
我也不例外,情绪会时好时坏。
今天我要学会控制情绪。

这是大自然的玩笑,很少有人窥破天机。
每天我醒来时,不再有旧日的心情。
昨日的快乐变成今天的哀愁,今天的悲伤又转为明日的喜悦。
我心中像一只轮子不停地转着,
由乐而悲,由悲而喜,由喜而忧。
这就好比花儿的变化,
今天凋谢的花儿蕴藏着明天新生的种子,今天的悲伤也预示着明天的快乐。
今天我要学会控制情绪。

沮丧时,我引吭高歌。
悲伤时,我开怀大笑。
病痛时,我加倍工作。
恐惧时,我勇往直前。
自卑时,我换上新装。
不安时,我提高嗓音。
穷困潦倒时,我想象未来的富有。
力不从心时,我回想过去的成功。
自轻自贱时,我想想自己的目标。

情
商

总之,今天我要学会控制自己的情绪。

纵情得意时,我要记得挨饿的日子。
洋洋得意时,我要想想竞争的对手。
沾沾自喜时,不要忘了那忍辱的时刻。
自以为是时,看看自己能否让风止步。
腰缠万贯时,想想那些食不果腹的人。
骄傲自满时,要想到自己怯懦的时候。
不可一世时,让我抬头,仰望群星。
今天我要学会控制情绪。

我成为自己的主人。
我由此而变得伟大。

第2节 坦承

展现出诚实及正直;值得信赖

"天下熙熙,皆为利来;天下攘攘,皆为利往。"人都是有私心的,甚至是贪婪的,但是高情商的人可以控制自己的私心,做到以诚待人。在生活中要做一个诚信的人不容易,因为它来不得半点虚假和功利,需要实实在在地付出、奉献。真诚待人、克己为人的人,也许偶尔会被欺诈,但他们会真正时时受人欢迎。而对一个处处为他人着想,绝不为个人利益放弃诚实的人,人人都会真诚接纳他,愿意和他交往。

以德报怨

有一个陈策坦诚对人的故事。一天,南宋人陈策去集市上买回了一匹骡子。这骡子非常精壮,毛色发亮,走起路来四只蹄儿像翻花。喜得陈策连声说:"好骡!好骡!"

第一次用这骡子,是要从西域运一些丝绸到他的铺子。伙计将鞍放上骡子的背,想不到骡子突然暴怒起来,上蹿下跳,连鞍都摔在地上了,把几个伙计吓了一跳。这骡怎么啦?伙计把骡捉住,又试了几次。只要鞍一上骡背,它就发怒一般暴躁蹦跳。

"这是一匹伤鞍的骡,老主人养成的。"陈策说。

"骡子不能负重,就是废物。"邻居说,"还是把它送还原来的主人,或者卖掉吧!"

可陈策这个人不忍心这样做。受了欺骗,他就这样认了,他叫伙计把骡子关到城外闲置的老屋子里,每天供给它一些简单的草料。他说,"就等它慢慢地老死吧。对畜生这样狠的主人,就是畜生!"他对骡子的前主人依然耿耿于怀。

他的儿子对父亲的做法很有些想法,他还是想把骡子卖掉。但这个念头他不敢跟父亲说,他有点害怕父亲。所以后来做的事他都是瞒着父亲干的。

他找到平时比较熟的一个马贩子,说:"你想法把我这头骡子卖了,我多给你中介费。"

马贩子说:"谁都知道你父亲的脾气,他会说我们的。你父亲知道了,气得要冒烟的。"

"没事,一切后果由我负责!"

机会终于来了。有一个路过南城的官人的马死了,便来到骡马市场,想再买一匹。

马贩子看见了他,上前说:"有一匹上好的骡子,因为负重时受了点伤,把背磨破了,主人要赶生意,急着就把它卖了,你要不要看看?"

官人就随他过去。一匹精壮的骡子,毛色发亮。官人连声夸:"好骡!好骡!"

马贩子说:"就是背上有些伤,稍养一养就好了。"骡子的背上有一些新鲜的擦伤。是陈策的儿子和马贩子磨出来的。脱毛,破皮,见血。

官人和当时的陈策一样,毫不犹豫就买下了。他说:"我的日程宽裕,暂不用它,只与我随行即可。"

陈策还是知道了这件事——可为时已经晚,那官人早已离开南城五天了。

陈策骑上马,沿官道追。晓行夜宿,沿路打问。他花了两天时间,赶上了那匹骡子。那骡子见了他,不走了,挨挨蹭蹭要靠近他。想说什么说不出来,只知道犟着不走。

陈策向官人行礼,说:"这是一匹伤鞍的骡子,不能负重。"

官人疑心他舍不得这精壮的骡子，要反悔，就说："伤鞍的骡子我也要。"

陈策解下自己的马鞍，递给官人，说："不信，你试试。"

官人说："我不试。"

陈策叹了一口气："我以诚待你，你却怀疑我欺诈，既如此，我在家等你。"说完，策马回家了。

不久，官人返回了南城。他找到了陈策，说："我来并不是为了讨回银两，而是特为谢罪而来。你待我以至诚，竟受我怀疑。哎，惭愧呀！"

陈策追骡的故事给人们留下了一个"利他"的典范。故事本身告诉我们，在任何时候，都不能为了个人利益而放弃诚实。那些常为一己之利表现不诚实的人不会获得真正的成功。

陈策的行为给儿子上了一场生动的教育课：一个人对别人表现出完全的不诚实时，可能会获得暂时的回报，但你不可能终生活在自欺欺人的阴影之中。"别人怎样对待你，你就怎样对待别人"的原则是不足取的，尤其是当别人欺骗或辜负了你的时候；想让别人如何对待你，你就如何去对待别人吧。

助人者，人必助之

一天，一个贫穷的小男孩为了攒够学费正挨家挨户地推销商品。劳累了一整天的他此时感到十分饥饿，但摸遍全身，却只有一角钱。怎么办呢？他决定向下一户人家讨口饭吃。当一位美丽的女孩打开房门的时候，这个小男孩却有点不知所措了，他没有要饭，只乞求给他一口水喝。这位女孩看到他很饥饿的样子，就拿了一大杯牛奶给他。男孩慢慢地喝完牛奶，问道："我应该付多少钱？"

年轻女孩回答道："一分钱也不用付。妈妈教导我们，施以爱心，不图回报。"

男孩说："那么，就请接受我由衷的感谢吧！"说完男孩离开了这户人家。此时，他不仅感到自己浑身是劲儿，而且还看到上帝正朝他点头微笑。其实，男孩本来是打算退学的。

数年之后，那位年轻女子得了一种罕见的重病，当地的医生对此束手无策。最后，她被转到大城市医治，由专家会诊治疗。当年的那个小男孩如今已是大名鼎鼎的霍华德·凯利医生了，他也参与了医治方案的制定。当看到病历上所写的病人的来历时，一个奇怪的念头霎时间闪过他的脑际。他马上起身直奔病房。

来到病房,凯利医生一眼就认出床上躺着的病人就是那位曾帮助过他的恩人。他回到自己的办公室,决心一定要竭尽所能来治好恩人的病。从那天起,他就特别地关照这个病人。经过艰辛努力,手术成功了;凯利医生要求把医药费通知单送到他那里,在通知单的旁边,他签了字。

当医药费通知单送到这位特殊的病人手中时,她不敢看,因为她确信,治病的费用将会花去她的全部家当。最后,她还是鼓起勇气,翻开了医药费通知单,旁边的那行小字引起了她的注意,她不禁轻声读了出来:"医药费———满杯牛奶。霍华德·凯利医生。"

佛教的教义讲究善恶轮回,因果报应。其实在现实生活中,这种所谓的"因果报应"只不过是心存感激的受惠者对施惠者的一种报偿而已。对他人施予善行,往往能收到别人更加丰厚的回报。有意于提高自己情商的人应记得常对别人奉献自己的爱心,帮助别人。帮助别人就是帮助自己,而且当我们为别人付出的时候,本身就体验到了生命的快乐和富足。下面要讲的一个故事,再一次说明了这一点。

多年以前,在荷兰一个小渔村里,一个勇敢的少年以自己的实际行动使全世界的人们懂得了无私奉献的报答。由于全村的人们都以打鱼为生,而海面上瞬息万变,危机四伏。因此为了应对突发海难,自愿紧急救援队的建立就显得十分的重要和必要。

那是一个漆黑的夜晚,海面上乌云翻滚,狂风怒吼,巨浪掀翻了一条渔船,船员的生命危在旦夕。他们发出了 SOS 求救信号。救援队的船长听到了警报,火速召集自愿紧急救援队都聚集在海边,翘首眺望着云波诡谲的海面,他们每人都举着一柄提灯,为救援队照亮返回的路。

一个小时之后,救援队的划艇终于冲破浓雾,乘风破浪,向岸边驶来。村民们喜出望外,欢呼着跑上前去迎接。当他们精疲力竭地跑到海滩后,却听到自愿救援队的队长宣布:由于救援船容量的限制,无法搭载所有遇险的人,无奈只得留下其中的一个人,否则救援船就会翻覆,那样所有的人都活不了了。

刚才还欢欣鼓舞的人们顿时安静下来,才落下的心又悬到了嗓子眼儿,人们又陷入了慌乱与不安之中。这时,救援队长开始组织另一队自愿救援者前去搭救那个最后留下来的人。16 岁的汉斯自告奋勇地报了名。他的母亲忙抓住了他的胳膊,用颤抖的声音说:"汉斯,你不要去。你知道,10 年前,你的父亲就是在海难中丧生的,而 3 个星期前你的哥哥保罗也出了海,可是到现在连一点消息也没有。孩子,你现在是我惟一的依靠了!求求你千万不要去!"

看着母亲那日见憔悴的面容和近乎乞求的眼神,汉斯心头一酸,泪水在眼中直打转,但是他强忍住没让它流下来。"妈妈,我必须去!"他坚定地答道,"妈妈,您想想,如果我们每个人都说'我不能去,让别人去吧!'那情况将会怎样呢?妈妈,您就让我去吧,这是我的责任。只要有人要求救援,我们就得竭尽全力地去履行我们的义务。"

汉斯张开双臂,紧紧地拥吻了一下他的母亲,然后义无反顾地登上了救援队的划艇,冲入无边无际的黑暗之中。

10分钟过去了,20分钟过去了……一个小时过去了。这一个小时,对忧心忡忡的汉斯的母亲来说,真是太漫长了。终于,救援船再次冲破迷雾,出现在人们的视野中。只见汉斯正站在船头向岸上眺望。救援队长把手握成喇叭状,向汉斯高声喊道:"汉斯,你找到留下来的那个人了吗?"

汉斯高兴地大声回答:"我们找到他了,队长。请您告诉我妈妈,他就是我的哥哥——保罗!"

为别人付出你的爱心,就种下一片希望,就会有硕果累累的一天,就能品尝到丰收的喜悦。

贪婪与虚伪会毁灭一切

从前,有两位很虔诚、很要好的教徒,决定一起到遥远的圣山朝圣。两人背上行囊、风尘仆仆地上路,发誓不达圣山朝拜,绝不返家。

两位教徒走啊走啊,走了两个多星期之后,遇见一位白发年长的圣者,这圣者看到这两位如此虔诚的教徒千里迢迢要前往圣山朝圣,

就十分感动地告诉他们:"从这里距离圣山还有十天的路程,但是很遗憾,我在这十字路口就要和你们分手了,而在分手前,我要送给你们一个礼物!什么礼物呢?就是你们当中一个人先许愿,他的愿望一定会马上实现;而第二个人,就可以得到那愿望的两倍!"

此时,其中一个教徒心想:"这太棒了,我已经知道我想要许什么愿,但我不要先讲,因为如果我先许愿,我就吃亏了,他就可以有双倍的礼物!不行!"

而另外一个教徒也自忖:"我怎么可以先讲,让我的朋友获得加倍的礼物呢?"

于是,两位教徒就开始客气起来,"你先讲嘛!"

"你比较年长,你先许愿吧!"

"不,应该你先许愿!"

两位教徒彼此推来推去,"客套地"推辞一番后,两人就开始不耐烦起来,气氛也变了:"你干嘛!你先讲啊!"

"为什么我先讲?我才不要呢!"

两人推到最后,其中一人生气了,大声说道:"喂,你真是个不识相、不知好歹的人耶,你再不许愿的话,我就把你的狗腿打断、把你掐死!"

另外一人一听,没有想到他的朋友居然变脸,竟然来恐吓自己!于是想:你这么无情无意,我也不必对你太有情有义!我没办法得到的东西,你也休想得到!于是,这一教徒干脆把心一横,狠心地说道:"好,我先许愿!我希望——我的一只眼睛——瞎掉!"

很快地,这位教徒的一只眼睛马上瞎掉了,而与他同行的好朋友,两只眼睛也立刻瞎掉了!

原本,这是一件十分美好的礼物,可以使两位好朋友互相共享,但是人的"贪念"与"嫉妒",左右了心中的情绪,所以使得"祝福"变成"诅咒",使"好友"变成"仇敌",更是让原来可以"双赢"的事,变成两人瞎

情

商

眼的"双输"! 双赢,不仅仅是物质上的共享,更重要的是心态上的共享。惟有具备一颗渴望"共赢"的心,才能在人际交往中跟他人一起品尝到胜利的果实。但是在生活中许多人常常像阿Q一样,患有红眼病,他们看世界的心态是畸形的。面对一样的好的事物,不是为了彼此的"共赢",而是拼命阻止对方去拥有,有时甚至"宁为玉碎,不为瓦全",最终的结局是两败俱伤。这当引起我们的警戒。

心底无私天地宽

第二次世界大战期间,一支部队在森林中与敌军相遇,激战后两名战士与部队失去了联系。这两名战士来自同一个小镇。

两人在森林中艰难跋涉,他们互相鼓励、互相安慰。十多天过去了仍未与部队联系上。这一天,他们打死了一只鹿,依靠鹿肉又艰难度过了几天,可也许是战争使动物四散奔逃或被杀光,这以后他们再也没看到过任何动物。他们仅剩下的一点鹿肉,背在年轻战士的身上。这一天,他们在森林中又一次与敌人相遇,经过再一次激战,他们巧妙地避开了敌人。就在自以为已经安全时,只听一声枪响,走在前面的年轻战士中了一枪——幸亏伤在肩膀上!后面的士兵惶恐地跑了过来,他害怕得语无伦次,抱着战友的身体泪流不止,并赶快把自己的衬衣撕下包扎战友的伤口。

晚上,未受伤的士兵一直念叨着母亲的名字,两眼直勾勾的。他们都以为他们熬不过这一关了,尽管饥饿难忍,可他们谁也没动身边的鹿肉。天知道他们是怎么过的那一夜。第二天,部队救出了他们。

事隔30年,那位受伤的战士安德森说:"我知道谁开的那一枪,他就是我的战友。当时在他抱住我时,我碰到他发热的枪管。我怎么也不明白,他为什么对我开枪?但当晚我就理解了他。我知道他想独吞我身上的鹿肉,我也知道他想为了他的母亲而活下来。此后30年,我假装根本不知道此事,也从不提及。战争太残酷了,他母亲还是没有等到他回来,我和他一起祭奠了老人家。那一天,他跪下来,请求我原谅他,我没让他说下去。我们又做了几十年的朋友,我宽容了他。"

在日常生活中,难免会发生这样的事:亲密无间的朋友,无意或有意做了伤害你的事,你是宽容他,还是从此分手,或伺机报复?有句话叫"以牙还牙",分手或报复似乎更符合人的本能心理。但这样做了,怨会越结越深,仇会越积越多,真是冤冤相报何时了。

人生就像是一块肥沃的土地,它既种植希望和成功,也会播种仇恨。但你要记住,最好不要在人生中播撒这种仇恨的种子。生活的经验告诉我们,不管我们的理由如何,怀恨总是不值得的。潜留在我们内心里的侮辱,永难平复的创伤,都能损坏我们生活中的许多可爱的事物。我们被锁在自己的苦恼的深渊里,甚至无法为别人的幸运而愉快。怨恨就像毒害我们的血液、细胞的毒素一样,影响、侵蚀我们的生命。

有这样一个故事:一位画家在集市上卖画,不远处,前呼后拥地走来一位大臣的孩子,这位大臣在年轻时曾经把画家的父亲欺诈得伤心碎而死去。这孩子在画家的作品前流连忘返,并且选中了一幅,画家却匆匆地用一块布把它遮盖住,并声称这幅画不卖。

从此以后,这孩子因为心病而变得憔悴,最后,他父亲出面了,表示愿意付出一笔高价。可是,画家宁愿把这幅画挂在自己画室的墙上,也不愿意出售。他阴沉着脸坐在画前,自言自语地说:"这就是我的报复。"

每天早晨,画家都要画一幅他信奉的神像,这是他表示信仰的惟一方式。

可是现在,他觉得这些神像与他以前画的神像日渐相异。这使他苦恼不已,他不停地找原因。然而有一天,他惊恐地丢下手中的画,跳了起来:他刚画好的神像的眼睛,竟然是那大臣的眼睛,而嘴唇也是那么的酷似。他把画撕碎,并且高喊:"我的报复已经回报到我的头上来了!"

这个故事告诉我们,一个人如若心存报复,自己所受的伤害会比对方更大。报复会把一个好端端的人驱向疯狂的边缘,报复还能把无罪推向有罪。

哲人说,宽容和忍让的痛苦,能换来甜蜜的结果。这话千真万确。古时候有个叫陈嚣的人,与一个叫纪伯的人做邻居。有一天夜里,纪伯偷偷地把陈嚣家的篱笆拔起来,往后挪了挪。这事被陈嚣发现后,心想,你不就是想扩大点地盘吗,我满足你,他等纪伯走后,又把篱笆往后挪一丈。天亮后,纪伯发现自家的地又宽出了许多,知道是陈嚣在让他,他心中很惭愧,主动找上陈家,把多侵占的地统统还给了陈家。这就是宽容的力量。

事实上,如果你在切肤之痛后,采取别人难以想象的态度,宽容对

情
商

方,表现出别人难以达到的襟怀,你的形象瞬间就会高大起来,你的宽宏大量、光明磊落使你的精神达到了一个新的境界,你的人格折射出高尚的光彩。宽容,作为一种美德受到了人们的推崇,作为一种人际交往的心理因素也越来越受到人们的重视和青睐。

当然,忍让和宽容说起来简单,可做起来并不容易。因为任何忍让和宽容都是要付出代价的,甚至是痛苦的代价。人的一生谁都会常常碰到个人的利益受到他人有意或无意的侵害。

为了培养和锻炼良好的心理素质,你要勇于接受忍让和宽容的考验,即使感情无法控制时,也要管住自己的大脑,忍一忍,就能抵御急躁和鲁莽,控制冲动的行为。如果能像陈嚣、杨翥那样再寻找出一条平衡自己心理的理由,说服自己,那就能把忍让的痛苦化解,产生出宽容和大度。

生活中有许多事当忍则忍,能让则让。忍让和宽容不是懦怯胆小,而是关怀体谅。忍让和宽容是给予,是奉献,是人生的一种智慧,是建立人与人之间良好关系的法宝。一个人经历一次忍让,会获得一次人生的亮丽,经历一次宽容会打开一道爱的大门。

即使一个非常宽容的人,也往往很难容忍别人对自己的恶意诽谤和致命的伤害。但惟有以德报怨,把伤害留给自己,才能赢得一个充满温馨的世界。一位哲人说:"以恨对恨,恨永远存在;以爱对恨,恨自然消失。"

测试:你是否值得信赖

你是个坦率、真诚、值得信赖的人吗? 不要自以为是,下面这个小测验可以让你窥视自己的内心。

1. **当你正要去上班时,你的一个朋友打来电话,让你帮助他解决心中的苦闷。你怎么办?**
   A.耐心地听,宁可迟到。
   B.在电话中禁不住埋怨道:喂,你知道我必须去上班呀。
   C.告诉他你愿意听他说,不过迟到要受到批评,可能还要扣钱。
   D.向他解释上班要迟到了,不过答应他午饭时间打电话给他。

2. 星期天,你忙了一整天才把房间全部打扫干净,你的爱人回来就问晚饭有没有准备好。你怎么办?

  A.虽然你心里很想出去吃饭,但是仍然很勉强地煮了这顿晚饭,然后责怪他太不体贴人。

  B.大发雷霆,命令他自己煮饭。

  C.气得当晚不吃饭。

  D.对他说:我实在疲倦,我们到外面吃饭吧。

3. 你的朋友想向你借新买的录音机,而你自己尚未好好地听过。你怎么办?

  A.借给他,但是满腹牢骚。

  B.提醒他有一次你向他借东西,他不肯借,当时你的心情如何糟糕。

  C.骗他说你已经借给别人了。

  D.告诉他你想先用一段时间,然后再借给他。

4. 你辛苦干了一天,自以为对今天的工作相当满意,却不料你的领导还大为不满。你怎么办?

  A.不耐烦地听他埋怨,心中满是委屈,但不做声。

  B.拂袖而去,认为自己不应该受屈。

  C.把责任推向他人。

  D.注意自己做得不够的地方,以便今后改正。

5. 在餐厅里你要了一份盒饭,饭菜做得味道太咸,你怎么办?

  A.向同桌的人发牢骚。

  B.破口大骂,粗鲁地责备厨师无能。

  C.默默地吃下去,然后把碗筷搞得乱七八糟。

  D.平静地告诉服务员,然后吃下去。

6. 在影剧院里是不准吸烟的,但你邻座的人偏偏吸烟,你讨厌烟味,你怎么办?

  A.很反感,希望其他人向这个人提意见。

  B.大叫吸烟是令人讨厌的习惯,并声言要叫服务员来干涉。

  C.用手捂住脸,露出一副不赞同的表情。

D.问此人是否知道影剧院里不准吸烟,并指给他看"严禁吸烟"的牌子。

7. 一位热情的售货员为了想使你买到满意的东西,介绍给你所有的产品,但你都不满意。你怎么办?

A.买一件我并不想买的东西。

B.粗鲁地说这些产品不好。

C.向他道歉,说是你的朋友托你买东西,不能买朋友不喜欢的东西。

D.说一声谢谢,然后离去。

8. 你的爱人说你最近胖了,你怎么办?

A.偏偏吃得多一些。

B.回敬他几句,不要他多管闲事。

C.告诉他如果他少买些鸡蛋、肉,你就不会增肥了。

D.你自己也有同感,希望他帮助你节食。

把你的答案写下来,看看 A、B、C、D 哪个字母多。

选择 A 者多的人对一切事物往往采取消极被动的态度,对任何有争论性的事你都宣布放弃发表意见,而让他人做决定或承担责任。当人们不了解你时,也许会同情你,但后来就有反感了。为什么不做一些令你自己快乐的事呢?

选择 B 者多的人往往属于好战型,动不动就暴跳如雷,甚至会粗鲁地骂人,表面看来你颇有权威,其实得不到他人对你的尊重,其结果是使人们憎恶你或者害怕你。

选择 B 者多的人多数选择 C 者,你虽然有好战的一面,但是你善于隐藏它,你比前两种人更善于处理人与人之间的关系,只是有时还不够坦率,使他人不能完全理解你。

选择 D 者多的人完全懂得如何安排自己的生活,你尊重他人,对人坦率诚恳,从不虚假或装模作样,结果人们尊敬你,愿和你交朋友。

第3节 适应力

弹性强，可以适应变动的环境或克服障碍

没人能完全左右自己的命运，但至少该充分掌握选择的权力，若抉择之后，又全力以赴，成败就不必计较了。圣哲曾说："除非你同意，任何人都不能伤害你。"以圣雄甘地的话来说就是："若非拱手让人，任何人无法剥夺我们的自尊。"令人受害最深的不是悲惨的遭遇，而是"默许"那些遭遇发生在自己身上。

人不能做环境的奴隶

弗兰克是一位犹太裔心理学家，第二次世界大战期间，他被关押在纳粹集中营里受尽了折磨。父母、妻子和兄弟都死于纳粹之手，惟一的亲人是他的一个妹妹。当时，他本人常常遭受严刑拷打，死亡之门随时都有可能向他打开。

有一天，他在赤身独处囚室时，忽然悟出了一个道理：就客观环境而言，我受制于人，没有任何自由；可是，我的自我意识是独立的，我可以自由地决声外界刺激对自己的影响程度。

弗兰克发现，在外界刺激和自己的反应之间，他完全有选择如何做出反应的自由与能力。于是，他靠着各种各样的记忆、想象与期盼不断地充实自己的生活和心灵。他学会了心理调控，不断磨练自己的意志。他自由的心灵早已超越了纳粹的禁锢。这种精神状态感召了其他的囚犯。他协助狱友在苦难中找到了生命的意义，找回了自己的尊严。

弗兰克后来这样写道：

每个人都有自己特殊的工作和使命，他人是无法取代的。生命只有一次，不可重复。所以，实现人生目标的机会也只有一次……归根到底，其实不是你询问生命的意义何在，而是生命正在向你提出质疑，它要求你回答：你存在的意义何在？你只有对自己的生命负责，才能理直

情
商

气壮地回答这一问题。

在弗兰克生命中最痛苦、最危难的时刻,在弗兰克精神行将崩溃的临界点,他靠自己的顿悟,靠成功的心理调控,不仅挽救了他自己,而且挽救了许多患难与共的生命。

日常生活中让我们产生压迫感的事情多得不胜枚举,其中,失去控制感就是最令人头痛的一项。我们之所以会感受到自己拥有控制感,就是因为我们有选择的权利,要是有人硬生生剥夺了我们这项天赋权利,就等于要我们不能自主地思考、言语、行动……要我们没有受压抑、痛苦的感觉都难。正因为这是上苍赋予人类的礼物,所以,不论面对何事,我们都可以自行决定是不是要插手;选择权永远在我们自己。

暂且不管我们做了什么选择——勇于面对事情也罢,逃避现实也好,只要一抉择,我们就会感到那种控制感又回到自己的身上。

很多人老是抱怨自己活在别人阴影底下,什么事都由别人控制着,自己就像是傀儡一样任人摆布。殊不知要怎么活、该怎么过都是自己选择而来的,哪能怪得了他人。没错,人总是有很强的控制感,除了想完全控制自己之外,也想控制别人。无形之中,他人的一举一动会侵犯了你的权利领域,但是,当碰到这种外来的侵犯时,你本身的控制感难道不曾抵抗过吗?

因此,假如你也有过丧失了控制感的迷思,你该自省一下,自己是不是了解自己的选择权何在?有没有充分运用它?想要对自己好一点,就该善用你的控制权,才能减少压迫感。

强者需智勇双全

适应环境并不是只是被动的接受,还要主动地寻找机会,达成自己的目的。俗话说:忍一时风平浪静,退一步海阔天空。需要注意的是,忍得是“一时”,不是忍“一世”;退得是“一步”,不是一直退下去。“忍一时”为的是以后无需再忍,“退一步”为的是反退为进。这就需要智勇双全。

智,在退的时候表现为镇定自若,有计划、有组织的撤退,而不是溃败;在进的时候表现为巧妙布置,灵活行事,而不是不顾左右,莽撞前进。勇,在退的时候表现为虚怀若谷,忍一时之气,而不是逞一时之快;在进的时候表现为一往无前,而畏首畏尾。总之,智与勇的结合,才能使人在面对不断变化的复杂环境和阻碍的时候, 既可以弯而不折,保存自己，又可以伺机前进，达成目的。

论智勇双全，完璧归赵的蔺相如是个非常好的榜样。

秦昭王振人到赵国送信，假称用十五座城交换赵国所得的和氏璧。赵惠文王跟廉颇等大臣研究：想把玉璧给秦王，又害怕得不到十五城，白受骗；想不换，又怕秦兵攻打赵国。大家拿不定主意，想派人到秦国出使又找不到合适的人选。宦官领头人缪贤说："臣下的舍人蔺相如可以出使。"

赵王问道："你怎么知道他可以肩负出使的重任呢？"

缪贤答道："臣下曾经犯过罪，想私自逃到燕国去。蔺相如制止臣下说：'您了解燕王吗？'臣下告诉他说：'我跟国君在边境会晤燕王，燕王握着我的手，说愿意结交。因此了解燕王，所以要去。'蔺相如说：'赵强燕弱，您又受国君宠爱，所以燕王想跟您结交。您如果从赵国逃到燕国，燕国畏惧赵国，必然不敢留您，相反会把您捆起来送回赵国。您不如脱去官服，躺在刑具上请罪，这样侥幸能够免除罪过。'臣下听从他的主张，大王也真赦免了臣下。臣私下认为他是勇士，有智谋，应当能够完成使命。"

因此赵王召见蔺相如，问道："秦国用十五座城请求跟我换玉璧，可以给他玉璧吗？"

蔺相如答道："秦国强大，赵国弱小，不能不答应他的请求。"

赵王又问："骗取我的玉璧，却不给我十五城，那将怎么办？"

蔺相如道："秦国用十五座城请求换璧但赵国不应许，赵国就薄情了。赵国把玉璧给予秦国，但秦不给赵城，秦国就理亏了。衡量这两种结局，宁可答应他的请求，让秦国背负背理的罪名。"

赵王又问："谁可以出使秦国呢？"

蔺相如答道："君王要是一定没有合适人选，臣下愿意带着玉璧出使。"秦城划归赵国就把玉璧留在秦国；秦城不划入赵国，请允许臣下把玉璧完好地送回赵国。"

赵王于是派蔺相如带着玉璧出使秦国。

秦昭王坐在章台上会见蔺相如，蔺相如捧着玉璧献给秦王。秦王非常高兴地把玉璧给美女和身边其他人传看，身边人都喊着万岁表示秦王得胜。蔺相如看秦王没有偿还赵城的意思，就上前说："玉璧有点小毛病，请允许我指给大王看。"

秦王把玉璧交给了相如，蔺相如立刻把玉璧拿在手中，退了几步停住，倚着宫中柱子，愤怒得头发直立，对秦王说："您想得到玉璧就派人

情

商

送信向赵王寻求,赵王召集群臣讨论时,都说:'秦王贪婪,依仗国家强大,用空话来求玉璧,偿还城邑怕不能兑现。'打算不把玉璧送到秦国。可是我认为平民百姓的交往还能不相欺骗,况且是一个大国呢!大王在一般宫殿接见臣下,礼节上显得很傲慢,得到玉璧就传给美人和身边的人来戏弄臣下。我看大王没有偿还赵国城邑的诚意,所以又取回玉璧。大王要是一定毒害臣下,我的头颅和玉璧就一同碰碎在柱子上。"

蔺相如说着话拿着玉璧斜视着柱子,要往柱上撞击。秦王怕击破玉璧,就用好话告谢,一再请求不要撞击,招来有关人员按照地图指划给赵国的十五座城邑。蔺相如考虑到秦王只是用欺诈手段伪装着给赵国,实际不可能,就对秦王说:"和氏璧是天下人共同流传的宝贝,赵王害怕秦国,不敢不献出来。赵王送玉璧时,斋戒了五天,大王也应斋戒五天,在朝廷上增设九宾之礼,臣下才能呈送玉璧。"

秦王考虑这件事,终究不能强压,就答应斋戒五天,让相如住在广成宾馆。相如估计秦王即使斋戒了,也绝对会背约而不把十五座城给赵国,于是让他的随从穿着短衣揣着璧从小路逃回赵国,把玉璧归还赵王。

秦王斋戒了五天,设九宾,领蔺相如到秦廷。蔺相如对秦王说:"秦国,自从穆公到现在共二十多位君王,没有一个有坚定明确约束的人。我怕受到欺骗辜负了赵王,所以派人带着玉璧返国,估计已到赵国了。秦国强大赵国弱小,大王派一个很小的使者到赵国,赵国立刻捧着玉璧来了。凭秦国之强大,就先割划十五城给赵国,赵国是不敢留玉璧不给秦国的,臣知欺骗大王之罪当被诛杀,我请受汤镬之刑,惟独希望大王和群臣仔细商量一下。"

秦王身边人想杀蔺相如,秦王说:"杀了蔺相如,也得不到璧,又断了两国的友好,不如好好招待他,让他回赵国。赵王难道会因一玉璧的缘故欺骗秦国吗?"

终于在朝廷上会见蔺相如,完成礼

仪,送相如回国。蔺相如回到赵国,赵王认为他是贤明大夫不被诸侯侮辱,就授官为上大夫,秦赵城璧的交换就终止了。

有勇无谋,乃是匹夫之勇。匹夫之勇可以成就一时之事,但不可能成大事。而有谋无勇,就会优柔寡断。有了好策略,又瞻前顾后,再好的策略也只会束之高阁。智勇双全,做事成功才有保证。蔺相如之所以能完成赵王的使命,完璧归赵,主要原因是他对秦昭王的贪婪和不义了解得一清二楚,这样在章台上他才能针锋相对,大义凛然,威武不屈。由于他临危不惧,最后才逼迫秦昭王做出了让步。

智勇双全,是对一个人情商极高的评价。有谋有勇,做事时就能挥洒自如,游刃有余。生活中有些人不是有勇无谋,就是有谋无勇,两者不能兼备,注定将难成大器。

心平气和方得久长

俄国大文豪托尔斯泰写过一篇小说,大意是地主为感激仆人的辛劳,决定送他土地。地主答应他早上日出时骑马出去,日落回来,能走多大一圈就圈多大的地。这个人很贪心,拼命骑马飞驰,日落回来,结果累得送掉性命,得到的只有葬身的一小块地。

希腊哲学家克里安德,当年虽已80高龄,但依然非常健朗。有人问他:"谁是世上最富有的人?"他斩钉截铁地说:"知足的人。"无疑,一颗知足的心,是真正的喜悦、真正的宁静、真正的幸福。真正的喜悦不是一味追求,而是每一天都怀着一颗满意的心。

法国植物学家迪亚是一位贵族,法国大革命时已有70岁的高龄了。在这场横扫一切的大动荡中,一夜之间,他的贵族头衔,他的财产包括实验室、花园、房产统统得没有了,好像被洪水卷得一无所有了,但他坦然处之,心境平静得像水一样,耐心毅力仍在,勇气不减当年,即使经常食不果腹,衣不遮体,但他还是乐呵呵的。

有一次,法国自然科学家协会邀请他作报告,他欣然同意,上台时赤着脚,第一句话就是:"今天很抱歉,没有鞋子穿,不过赤着脚倒还挺舒服。"在作报告时,他的声音抑扬顿挫,那么的专注,他在一张小纸上用微微颤抖的双手描绘着植物的特征,生活中一切痛苦都消融在对自然的无穷乐趣之中了。这种常人难以想象的乐趣像一位善良的仙女在陪伴着这位孤独的老人。

科学家协会准备给这位坚强的令人尊敬的老科学家一点点抚慰

情商

金,但他婉言谢绝了。9年以后,这位历经沧桑的老人平静地走了。他到另一个世界去了,走得是那么的安详、悠闲,好像去田野小径散步一般。遗嘱中他规定了自己的葬礼方式:用自己一生中确定的45种植物编成一个花环,放在他的灵柩上,这是惟一的,不需要任何别的东西。这着实反映了他平和的性格,他用这种微不足道的方式为自己建立了一个永恒的纪念碑。

我们之中有许多人忙忙碌碌、担惊受怕地保持竞争力,把生活过得好像一场天大的紧急事故。主要的原因之一,是因为我们害怕自己一旦变得比较宁静、可爱,就会达不到目标,好像就会变得又懒又无动于衷。

只要你明白事实恰好相反,就可以打消这个可怕的念头。害怕和疯狂消耗了我们大量的精力,让我们的创造力和动力枯竭。当你感到害怕和疯狂时,你最大的潜力将会无法发挥,更不用提享受了。你拥有的任何成功都是因为不在乎害怕,并非因为感到害怕。

可以放松、心平气和的人大多颇有成就,有些人是多产作家,有的则是充满爱心的父母、顾问、电脑专家以及行政主管。他们都事业有成,精通技艺,并不是消极地避世。人总归要面对现实,柴米油盐、七情六欲这些复杂又伤脑筋的事情,性格无论怎样的平和,也总会有痛苦和心情烦躁的时候,否则就是麻木不仁或精神错乱。然而,他们不同于别人的就是他们总是愉快地接受这种痛苦,没有抱怨,没有忧伤,不会为此去浪费自己的精力,更不会消极悲观,从此一蹶不振。他们会捡起生命道路上的花朵,奋勇向前。

当你拥有想要的东西时,就不会因你想要的、需求的、渴望的和关心的事物而分心。这样一来,你就比较容易集中精神,达到你的目标,还可以回报他人。尽管平和的性格带有一定的遗传因素,但如同生活习惯一样,它也可以通过后天的训练和培养来获得或得到加强。我们当中有人在充分地享受生活,但也有不少人根本就无法懂得生活的乐趣:这主要取决于我们从生活中提炼出来的精华本质是快乐还是痛苦。

我们究竟是经常看到生活中光明美好的一面,还是漆黑一团丑陋的一面,主要取决于我们的心态。我们可以依靠自己的意志力做出积极的选择,养成积极乐观快乐的性格,这样心情就比较平和,而不是相反,揪住生活阴暗的一面不放。

我们常犯的一个错误就是,为自己或他人抱屈,误以为生命应该公平,或是将来总有一天会公平。其实,生命本来就不公平,将来也不

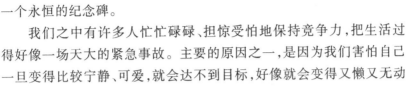

会公平。我们错在浪费许多时间沉溺在抱怨生命的差错上。我们同情别人,讨论着生命的不公。"这不公平。"我们抱怨着,不了解生命或许从来就无意如此,而是自己的抱怨遮住了生命的光彩。

性格平和的人,大都能拿得起放得下。如果性格急躁,患得患失,斤斤计较,怎能达到心境的平和呢?性格平和的人感到光明快乐,认为美丽的生活就在自己的身边——他们眼睛里流出来的光彩使整个世界都流光溢彩。在这种心境下,荆棘会变成鲜花,寒冷会变成温暖,痛苦会变成快乐。相反,那些性格暴戾的人,总是忧郁悲观,动不动就暴跳如雷,永远发现不了生活中的七彩阳光。春天盛开的鲜花在他们眼里黯然失色,天空美丽的彩霞在他们眼里是乌云密布。世界上只有寒冷、僵硬,有着无穷无尽的烦恼和忧愁,生命是多么的脆弱,灵魂又是多么的空虚。

德国大诗人歌德看到社会上一些年轻人未老先衰,一本正经得像个小老头,感叹不已:"唉,世界上又多了一些年轻的老头了。"

他认为,人生就要平和豪爽。豁达就是快乐,宽宏大量、与人为善就是幸福。童心常驻、精神快慰就是难得的享受。这些快乐幸福和精神享受绝不是那些一本正经、过分拘谨的年轻小老头所能够享受得到的。过于一本正经的人缺乏精神活力,缺乏创造性,这种年轻人徒有青春的外表,他们那颗心已经老了,没有活力了。歌德叹道:"真苦了这些年轻人,能装出这种古板的样子来,这是多么荒唐和愚蠢的行为举止啊!"歌德希望看到的是那些精神焕发、本性自然、朝气蓬勃的年轻人。

一个性格平和的人,必定是一个心地善良、善于宽容体谅他人的人,是一个具有强大克制力和耐心的人。平和性格的人容易和人相处,他总是令别人愉悦,更不会遭人嫉妒。性格平和的人眼里总会闪着愉快的光芒,显得欢快、豁达、朝气蓬勃而且富有生气。

明代文人吕坤在其所著的《呻吟语》一书中说:"心平气和此四字非涵养不能。做功夫只在个定火,火定则百物兼照,万事得理。

看来,心平气和,不心浮气躁是我们在待人处事方面要培养的情商之一。只有先控制住自己的心态,保持平和安静的情绪,才能充分发挥自己的影响力。

道家的智慧

　　庄子是道家重要的代表人物,他的观点可以用四个字概括:自在逍遥。

庄子在一则寓言故事中曾经说过这样一个道理:

树木被拿来做斧头的柄,反而用来砍伐它自己;油脂被用来点火,结果把自己烧光;桂树有食用价值,就会被人砍下来吃掉;漆树可以防腐,就会被人用刀割下。

世界上的任何事物,有得必有失,得失都是相对的。犀牛的身体庞大,表皮粗厚,又有尖锐的犀角,几无天敌。不幸的是,据说犀牛角有壮阳作用,它们也因此惨遭人类的猎杀。

貂鼠的皮毛雪白,这使它们在雪中获得掩护,而能逃避猎食它们的天敌。不幸的是,它们厚重、雪白的皮毛却被人类觊觎,而将它们剥来做貂皮大衣。原本有利于貂鼠生存的厚重皮毛,竟成为让它们丧命的罪魁祸首。

任何事物都有好坏两面的可能性。就像药物一样,能治你的病,也能对你产生种种副作用。

人生是多面向的,失中必有得,得中亦有失。"失"时,应努力去发掘"得"在何处,并努力利用它,享用它,那么它将透悟"得未必得,失未必失"的道理。

既然现在的得失已成既定事实,无法改变;未来的得失又变幻不定,无法预测,那就不要总是沉浸在患得患失的情绪中,自己给自己制造压力。

经营大师威廉·詹姆斯给他的学生讲授成功之道。他并没有直接告诉学生成功的道理和固定的规则,而是带着他们去拉斯维加斯的赌场去玩轮盘赌博。

一星期后,学生中间已经有人豁然开朗,理解了詹姆斯的用意。为了考验一下学生到底有没有理解自己的真正用意,他问其中一个:"看到那些赌徒,你能有什么启示呢?"

这个聪明的学生答道:"我注意到那些十赌九输的人都有两个特点:下注前,他们并不紧张,可是当轮盘一开始转动,他们却都七上八下,个个都开始心跳气喘起来。我觉得这些人好傻,因为他们如果要担心,也应该在下注之前,在那时候多动动脑筋还管用些。既然赌注已经下了,而赌盘也已经旋转,就不妨以轻松的心情静待结果。假如此时再伤脑筋,也只有徒增惊怕的份,一点用处都没有。"詹姆斯频频点头。

"您是想告诉我们,经营事业又何尝不是如此!在策划方案时,就该多方思虑利弊得失;不过一旦下决心并付诸实行后,就毋需挂心,也不必患得患失。"

因为患得患失,你就可能会在比赛中表现失常。如果你手上只拿着一根针的时候,能稳若泰山地抓住,可是当你试图将线穿过针孔时,手却会莫名其妙地颤抖起来,因为你害怕你不能一下成功地把线穿进去。不要在意结果,如此才能去除特定结果的执著。活在无常的智慧中,即使对结局一无所知,仍能享受生命旅程的每一刻。

古语说:尽吾志而不能至者,无悔也。在处理生活中各种大大小小的事件时,只要做到"尽人力",就可以心安理得。至于选择之后的成败得失,不必耿耿于怀,这就是所谓的"随相而离相"。船过水无痕、鸟飞不留影,成败得失都不会引起心境的波动,那就是自在洒脱的大智慧。心平气和地面对本就无法预知,无法决定的得失成败,这样方能超脱,方为大度。

当你最心爱的玻璃杯不小心碎了,你应该抱以平和的心态,不应该被这种失去的情绪所困扰,如果无法恰当地调节好内心的情绪,那就会陷入更深的焦灼感中。没有人希望自己最喜爱的杯子或任何东西被打破。不要变得消极或感伤,而要接受已发生的事实。

庄子还讲过这么一个故事:有一天,他在濮水畔享受垂钓之乐。这时,有两个楚国的大臣奉君主之命拜访庄子,楚国的大臣一看到庄子就说:"楚王想要您做楚国的丞相。"庄子垂着钓,头也不回地说:"听说贵国有一块死后已三千年,非常灵验的龟壳。楚王用绢布包着它,慎重地放在箱子里祭拜。你认为那只龟是死后接受膜拜比较好,还是活在泥水里比较好呢?"

"当然是活在泥水里比较好。"

听到了这个回答,庄子就对楚国的大臣说:"那么,你就请便吧!我也喜欢生活在泥水里。"

人生最重要的就是:放下执著,知足常乐。想要的追求不到,无法占有;已经到手的,又担心失去。倘若真的失去了,又会产生没有安全感的苦恼。这是非常辛苦的!天天忙忙碌碌,居然就是为了自寻苦恼而忙!

就像失眠的人一样,愈想睡觉,就愈睡不着。人愈是追求快乐,快乐就离得愈远。人生的苦痛,原本来自于对外物的执著,顺境则喜,逆境则忧,于是悲悲喜喜,岁月悠悠而过。直到有一天,你放弃了物欲追逐;静静坐下,喝杯清水,闻闻花草香,一刹那间,快乐已悄然轻敲心扉。

再说一则《韩非子》中的寓言故事:宋国有个乡下人,想将一块璞玉献给大臣子罕。但是子罕不接受,这个乡下人就说:"这可是珍贵的

情
商

宝物啊!只有像您这么高贵的人才配拥有。我太卑贱了,不配拥有它。"子罕听了,仍然不接受,他回答说:"您将璞玉当作珍贵的宝物,而我认为不接受宝物才是最珍贵的。"

事物的价值,都是经由人的判断选择之后才能体现。例如,有一颗钻石和一杯水,一般人都直觉地认为钻石较有价值;但假如今天是身处沙漠中,一杯水的价值,恐怕就比钻石高得多了。

再如一盆花若无人欣赏,任它花自开,叶自落,就没有漂亮与否的问题。因此一定要有主体(你、我、他)加以选择,价值才能体现出来。欲望的追求也是一样。如果你不热衷于追求,放弃对结果的执著,就没有得失的问题,这样反而拥有超然的自在。如果整天被那些想要得到,却又担心无法实现的东西弄得心力交瘁,陷入了恶性循环之中。

你愈是拒绝在你的现状中寻求可以令你满意的事物,你的不满就会持续得愈久。你愈不满,就愈沮丧,愈乞求于憧憬、期望、可能……与其埋怨你目前的处境,不如借着学习来欣赏自己,珍惜自己目前所拥有的一切!

贝蒂·戴维斯在她的回忆录《孤独生活》中写道:"任何目标的达成,都无法带来满足,成功又引发新的目标。吃下去的苹果带有种子,这是永无止境的。"除非你肯深切地与自己对谈,否则永远不会满足于自己所拥有的。

在我们的生活中,到处都充满着机会,有这么多令人觉得幸福的东西,但我们却变得越来越不幸福。难怪老子会感慨地说:"祸莫大于知足,咎莫大于欲得。故知足之足,常足。"

真正的喜悦不只是银行户头里的钱,也是一颗满足平和的心。问问快乐的人需要什么,他们很可能会回答:"没什么。"快乐的人珍惜已有的东西,已经很满足;就连我们认为是消极、悲哀或没有价值的事情,他们也能看出其中的积极意义。

测试:你的心理适应性强吗

心理适应性的强弱关系到我们能否工作得愉快、生活得幸福。你知道自己的"应变弹性"如何吗?下面一组测试题将给你一个明确的回答。

1. **当收到来自税务局或公安局的一封沉甸甸的信时,你会——**
   A.试着自己来弄清事情的缘由;

B.装作没看到,随便谁捡起谁去处理;

C.找个理由推给办公室其他同事去处理。

2. 你急着赴约,中途却被拥挤的交通所阻,你会——

A.设想等候者会体谅你是不得已而迟到;

B.很着急,但想想急也无益,干脆不去想了;

C.变得急躁不堪,同时想象等候者恼火的样子。

3. 一件很重要的东西不见了,这时你会——

A.不动声色地对最近一段时间的行为作一番仔细回顾;

B.急忙把那些可能的地方找一遍;

C.疯狂地掀起地毯来搜索。

4. 你向来用钢笔写字,现在要你换圆珠笔书写,你会——

A.感觉与用钢笔没什么差别;

B.有时有点不顺手;

C.感到别扭。

5. 你在大会上演说的姿态、表情、条理性及准确性与你在办公室里讲话相比怎样?

A.基本上没什么差别;

B.说不准,看具体的情况而定;

C.显然要逊色多了。

6. 改白班为夜班之后,尽管你做了努力,但工作效率总不如那些和你同时改班制的人高,是吗?

A.不是这样的;

B.说不上;

C.对。

7. 你手头的任务已临近最后的截止日期了,你会——

A.变得更有效率了;

B.心中暗急,但仍勉力维持正常状况;

C.开始错误百出。

8. 在与人激烈地争吵了一番以后,你会——

　　A.不受影响,继续专心工作;

　　B.转回到工作上,但有时难免出神;

　　C.唠叨个不停,工作量减少。

9. 你出差或旅游到外地,住进招待所、旅馆,睡在陌生的床铺上,你会——

　　A.和在家感觉没什么差别;

　　B.有时会失眠;

　　C.失眠得厉害,连调一种睡眠姿势,换一个枕头也会引起新的失眠。

10. 参加一个全是陌生人的聚会,你会——

　　A.立即加入最活跃的一群,热烈谈话;

　　B.有时感到不自在,有时又能从这种状态中摆脱出来,与人相叙甚欢;

　　C.先灌几杯酒让自己放松一下。

11. 改夏时制后,你会——

　　A.很快就习惯了;

　　B.起初的两三天感到不习惯;

　　C.在相当长一段时间内发生紊乱。

12. 有人劈头盖脸给了你一顿指责攻击,你会——

　　A.头脑清醒,冷静而适度地予以回击;

　　B.在当时就还了几句,但不甚中要害;

　　C.一下蒙了,过后才去想当时该如何进行反击。

13. 你事先给一位朋友打电话预约登门拜访,他答应届时恭候。可当你如约前往,他却有急事出去了。这时,你会——

　　A.充分利用这一空档,为自己下一步要做的事计划一番;

　　B.有些不满,但既来之则安之;

　　C.嘀咕不已。

14. 只有在安静的环境中,你才能读书,外面喧哗嘈杂之时你便分心吗?

    A.不,只要不是跟我吵,坐在集市货摊之间也照读不误;

    B.看吵闹的程度而定;

    C.是的。

15. 如果同学们总说某人脾气执拗,难以相处,你——

    A.倒觉得他蛮好接近的,大家恐怕太不了解他。

    B.说不上对他什么感觉。

    C.也有同感。

选 A 的计 1 分,选 B 的计 3 分,选 C 的计 5 分。

如果你得到的总分在 15~29 分之间,说明你的心理适应性强,任世界千变万化而你"游刃有余",生活中的各种压力你常能消之于无形;你过得心情愉快、万事如意,这种精神品质有利于你的心理平衡与健康。你是个生命力强的人。

如果你得到的总分在 30~57 分之间,说明你的心理适应性中等,外界事物的变化及刺激不会使你失魂落魄,一般情形你都能作出相应的适度反应,可是如果事件比较重大、变得比较突兀,那你的适应期就要拖长。你了解自己的这种情况之后,最好预先准备,锻炼自己的快速适应能力。

如果你得到的总分在 58~75 分之间,说明你的适应能力差。你对世界的变化、生活的摩擦很不习惯,如此磨损你会过早"断裂"的。不过,只要意识到了,还是有希望改善此状况的。首先你要从思想上对那些你总看不惯的东西冷静地剖析一番,它们真是十分难以忍受吗? 其次,要在心理上具备灵活转移、顺应时变的快速反应能力,不要将自己拘禁在惯有的固定模式中。

情商提高:学会弯曲的艺术

弯曲不是软弱,而是坚韧,富有弹性,因而面对强手不会被对方摧垮,而是主动避其锋芒,就在对手扑空没来得及反应的时候,又已经攻到了对手要害。

学会弯曲是越过成功之门的不二法门。人生之路上,取得成功的机

会有很多,成功之门往往就在你的面前,但有些人就因为成功之门没有他想象中的那样雄伟有气势,就放弃了,甚至不屑一顾,其实门内的风景却有着无限的风光。只要稍微地弯下身来,成功就变得唾手可得。

孟买佛学院是印度最著名的佛学院之一,这所佛学院的特点是建院历史悠久,拥有灿烂辉煌的建筑,还培养出了许多著名的学者。还有一个特点是其他佛学院所没有的。这是一个极其微小的细节,但是,所有进入过这里的人,当他再出来的时候,几乎无一例外地承认,正是这个细节使他们顿悟,正是这个细节让他们受益无穷。

这是一个很简单的细节,只是人们都没有在意:孟买佛学院在它的正门一侧,又开了一个小门,这个小门只有 1.5 米高、0.4 米宽,一个成年人要想过去必须学会弯腰侧身,不然就只能碰壁了。

这正是孟买佛学院给它的学生上的第一堂课。所有新来的人,教师都会引导他到这个小门旁,让他进出一次。很显然,所有的人都是弯腰侧身进出的,尽管有失礼仪和风度,但是却达到了目的。教师说,大门当然出入方便,而且能够让一个人很体面很有风度地出入。但是,有很多时候,人们要出入的地方,并不是都有着壮观的大门,或者,有大门也不是随便可以进入的。这个时候,只有学会了弯腰和侧身的人,只有暂时放下尊贵和虚荣的人,才能够出入。否则,有很多时候,你就只能被挡在院墙之外了。

孟买佛学院的教师告诉他们的学生,佛家的哲学就在这个小门里。其实,人生的哲学何尝不在这个小门里。人生之路,尤其是通向成功的路上,几乎是没有宽阔的大门的,所有的门都是需要弯腰侧身才可以进去。

加拿大魁北克有一条南北向的山谷,西坡长满松树、女贞、柏树,而东坡只有雪松。为什么会出现这样的现象呢?因为东坡雪很大,雪松比较柔软,当雪在树上积累到一定重量时它就弯曲了,令雪滑落下来。而女贞、柏树的树枝不能弯曲,它们被雪压断了。一对情侣在决定分手前的最后一次旅行中发现了这个秘密,然后他们重归于好了。

即使再锐利的刀,如果轻易就断掉,那也是毫无用处的。人固然需要刀片般的锋利,也需要柳条一样的柔韧。在这个世界上,要柔中带刚,刚里带柔,方里见圆,圆中显方,才会活得自由自在。

正面情绪与负面情绪来自于人脑的同一组织,正确的抉择与错误的举动也出自同一个人的判断。正如人间的万事万物都具有两面性一样,人的行为亦具有两面性:内在的动机和外在的表现。不考虑内在的动机,人们就不可能判断自己和别人的行为是否正确。圣人和罪犯也许出于完全不同的动机,却做出同样的行为。需要知晓的是,你具有同等的创造力和破坏力,两者之间,互为补充,有一种力量在其适当的时候发挥作用。对自己和自己的命运应该有自知之明,知道何时该运用自己的创造力,何时该向别人的破坏力屈服。

在风中,小草容易弯曲,参天大树则巍然挺立,不摆不动。但是一阵狂风可以把大树连根拔起,可是,不管风有多大,也不能把在狂风面前弯倒在地的小草连根拔起。能屈能伸是高情商者的超人之处,情绪的控制并非是对逆境永远的坚贞不屈。屈者,比坚者有更大的柔韧性,他对情绪控制的能力可谓炉火纯青。

在古代印度有"扮羊吃虎"的说法。按照这样的观念,猎人准备狩猎老虎的时候,将自己装扮成老虎的诱饵,披上羊的外皮,在树林中等候。当老虎走到猎人射程之内时,他便可以从容的射击。而判断英雄的标准不是论其捕杀老虎的本领,而是看其忍受扮羊耻辱的力量和能力。只有高情商者,才能具备和运用这样的能力。

当你没有证据表明你处境较好的时候,千万别抱有获胜的幻想。爱因斯坦曾经指出:"伟人在别人之前要知道自己的伟大。"如果你愿意去做战胜最强大的对手所需要做的一切——即使包括百依百顺、卑躬屈膝——你就会赢。刚则易折,易被柔所破。弯曲不是软弱,而是坚韧,富有弹性,因而面对强手不会被对方摧垮,而是主动避其锋芒,而就在对手扑空没来得及反应的时候,又已经攻到了对手要害。更有甚者,你必须能够忍受由于自己明显的失败,而别人幸灾乐祸地强加在你头上的耻辱。做到这一点,须有超人的耐心与承受力——只有这样的高情商者,才能成为成功者。

可以悲观，但不能悲哀

　　即使是天生的乐天派，也会遇到不顺心的事情，甚至感到前景渺茫。所以悲观是再普通不过的情绪。保持适度的悲观，可以使我们对生活中的陷阱保持警惕，至少要比乐极生悲好。

　　如果要在"乐观"和"悲观"之间做一选择，现在的你比较偏向哪一边呢？调查发现，表示自己愈来愈悲观的人数逐渐上升。

　　有人说："我以前也曾经很乐观，凡事都往好的方向想，但是半生积蓄在股市血本无归，周围朋友个个工作不保，再加上世界各地爆炸连连，放眼未来，怎么让人乐观的起来呢？"

　　也有人说："我是先天不良。因为我从小就只会往坏处想，一碰到事情我就会担心这担心那，天性悲观很难改变，完全乐观不起来，想改变也没用！"看来他连对自己的悲观性格，都抱着极度悲观的想法，的确是悲观的彻底。

　　其实大家都知道乐观的重要性，而乐观积极的工作态度，也正是高情商的表现。

　　心理学家发现，对某些人来说，"凡事先往坏处想"反而是有效的工作策略。这些人被称之为"防卫性悲观者"，他们把悲观当成是一种管理焦虑的策略，与传统的悲观定义，也就是"绝望性悲观者"是大相径庭的。差别在哪儿呢？

　　绝望的悲观者凡事习惯往坏处想，并且会用钻牛角尖的方式，将这些焦虑扩大化，在工作上碰到小挫折，就把它全面化："我的生活整个都完了"，或者永久化："我这一辈子都完了"，要不就完全自责化："这一切的一切都是我的错！"，这么一来，焦虑无限膨胀，意志消沉绝望，很容易得到忧郁症，当然不可能有亮眼的工作成绩，如果你的悲观是这一型，那就得快快重新整理自己。

　　而防卫的悲观者凡事也习惯先往坏处想：这里有可能出错，那里有可能突槌，然而接下来，比较容易感到焦虑的他们会运用一些做法，来消除心中的慌乱不安。

　　这些做法包括了：

　　降低期望：防卫的悲观者会先告诉自己："事情没那么容易，别抱太高的期望"。藉由预期未来可能发生的状况（即使是最糟的情景），他们就会觉得对未来比较有把握感。既然已做了最坏的打算，反而能安下心来专心工作。

防灾演练：接下来，针对自己脑中所想到的各种可能突槌的状况一一做出预防措施，上台演示文稿投影机可能会坏掉，就多带一个备用机器；老板可能因没耐心而轰我下台，这下事先多练习几次，做到言简意赅。如此一来，成功地把关注的焦点转移到防患未然之上，有了新目标，就能挣脱原先焦虑的束缚，而也因为危机预防得宜，往往有着极佳的工作表现。

这也是为什么有些表现一直很棒的人，在工作上却仍然处处紧张、忧心忡忡，表现出的绝对不是信心满满的乐观态度，而事后每每又证明自己打了漂亮一仗的原因。.

不乐观也能成功，就是因为这些防卫的悲观者妥善的运用负面想法，来管理自己的焦虑，进而增加对事情结果的掌控，导引出成功的结局。

如果你的状况是属于防卫性悲观，那就大可不必对自己的悲观念头感到悲观，因为悲观已成了你的成功策略，反而该谢谢它才是。

不过话说回来，防卫的悲观策略还是有些可能的负面效应。例如万一不分状况，一律使用这种防卫的悲观策略，结果不论大事小事，都把自己搞得昏天黑地，耗尽心力的结果反而会顾此失彼失误连连，所以请提醒自己，只有重要的事才值得如此大费周章，其它的琐事，就别抓狂了吧！

别人也容易将自己的负面想法当成批评。要是办公室里有人问你的意见，你却老是说些"你得小心这里别出错，提防那里别失手"等等的话，对方会以为你在质疑他的能力，容易引起人际误会。最好的做法，就是先加上一句："我相信你一定能胜任愉快，这些只是我啰唆的提醒罢了"。

时常公然吐露心中的焦虑，会让这些负面想法掩盖了其它方面的表现，上司就有可能看不见自己的真正的长处，倒大霉的当然是自己。所以请记得，忧心忡忡的负面念头在自己脑中默默进行即可，千万别对着上司开诚布公。

事先可以运用悲观当成策略，而在事情发生后，就得关掉负面念头的水龙头了，否则就会变成绝望的悲观者。只要好好运用防卫性的悲观，你的前途一样会很乐观。

第四章 自我激励能力

第1节 成就动机

具备提升能力的强烈动机,追求卓越的表现

总是有一种神秘的力量在推动我们追求更高的理想。人类的发展就像一条永无尽头的河流,因此,我们的进取心也是无法最终获得满足的。进取心,这种内心的推动力从不允许我们停下来,它总是激励我们为了更加美好的明天而努力。我们今天所到达的境地也是激励我们为了更加美好的明天而努力。我们今天所到达的境地也许足以令人羡慕,但是我们却发现,我们今日的位置和昨日的位置一样,无法让自己完全满足。一旦我们想原地踏步时,我们的耳边就会响起那个声音,听到向更高目标努力的召唤。

进取的心永不停息

德国总理施罗德 1944 年 4 月 7 日出生于下萨克森州的一个贫民家庭。他出生后第三天,父亲就战死在罗马尼亚。母亲当清洁工,带着他们姐弟二人,一家三口相依为命。

生活的艰难使母亲欠下许多债。一天,债主逼上门来,母子抱头痛哭。年幼的施罗德拍着母亲的肩膀安慰她说:"别伤心,妈妈,总有一天我会开着奔驰车来接你的!"40 年后,终于等到了这一天。施罗德担任了下萨克森州州长,开着奔驰车把母亲接到一家大饭店,为老人家庆祝 80 岁生日。

1950 年,施罗德上学了。因交不起学费,初中毕业他就到一家零售店当了学徒。贫穷带来的被轻视和瞧不起,使他立志要改变自己的人生:"我一定要从这里走出去。"他想学习。

他在寻找机会。1962 年,他辞去了店员之职,到一家夜校学习。他一边学习,一边到建筑工地当清洁工。不仅收入有所增加,而且圆了他的上学梦。

四年夜校结业后,1966 年他进入了哥廷根大学夜校学习法律,圆

了上大学的梦。毕业之后，他当了律师。32岁时，他当上了汉诺威霍尔律师事务所的合伙人。回顾自己的经历，他说，每个人都要通过自己的勤奋努力，而不是通过父母的金钱来使自己接受教育。这对个人的成长至关重要。

通过对法律的研究，他对政治产生了兴趣。他积极参加政党的集会，最终加入了社会民主党。此后，他逐渐崭露头角、步步提升。1969年，他担任哥廷根地区的主席，1971年得到政界的肯定，1980年当选为议员。1990年他当选为下萨克森州州长，并于1994年、1998年两次连任。政坛得志，没有使他放弃做联邦政治家的雄心。1998年10月，他走进联邦德国总理府。

正是进取心——这种永不停息的自我推动力，激励着施罗德朝着自己的目标前进。这是神秘的宇宙力量在人身上的体现，这种动力并不是纯粹的人为力量能创造的。为了获得和满足这种力量，我们甚至愿意放弃舒适乃至牺牲自我。我们每个人都感到，我们都需要这种激励，它是我们人生的支柱。一旦我们有幸受这种伟大推动力的引导和驱使，我们就会成长、开花、结果。进取心带来的激励也存在于我们人体内，它推动我们完善自我，追求完美的人生。但如果我们无视这种力量的存在，或者只是偶尔接受这种力量的引导，我们就只能使自己变得微不足道，不会取得任何成果。并且，这种向上的愿望，这种至高无上的力量，也有可能会消失。一旦染上了懒惰的习性，我们就会停滞不前。

梭罗说："你是否听说过这样的事：一个人以英雄般的姿态、宽广的胸襟、真诚的信念和追求真理的决心行事处世，竟然没有任何收获？一个人穷尽毕生精力向着一个目标努力，竟然会一事无成？一个人始终有所期望、受到持久的激励，竟然无法使自己提升？难道这些努力会白费吗？"答案再明显不过。朋友，永保一颗进取的心吧！

热忱是进取者的情绪

拿破仑在刚刚就任意大利军团总司令的职务时,面对的是一支半饥饿的、衣衫褴褛的军队,炮兵、骑兵严重不足。士兵们简直像一群土匪,巴黎供给这支军队的微乎其微的物资,很快就被士兵们肆无忌惮地偷盗一空。没有军饷,没有军粮,没有饲料,没有鞋袜,没有衣服,没有营帐,没有扎营家具,没有运输工具,物质生活极为困乏。就在拿破仑到来的头天晚上,一个营就因没有靴子穿而拒绝执行向另一个地区转移的命令。饥饿的军队到处抢劫和偷盗,反抗和开小差不时发生,士气十分低落。

拿破仑决定立即着手整顿军纪。年仅27岁的拿破仑要想控制这支军队并非易事。这里的下属军官只服从年长的或功绩更大的长官,对这个身材矮小、不修边幅、说话还带有难听的科西嘉口音、并非十分有名的年轻司令,根本不放在眼里。但是,拿破仑不愧是一位伟人,他掌握了士兵们的心理。他清醒地认识到,要真正严肃军纪,制止偷盗行为,单靠枪毙一些人是无济于事的,士兵们真正缺乏的是一种必胜的信念和勇往直前的精神。拿破仑决定用自己的热忱来鼓励士兵。

于是,在出征皮埃蒙特前,他发表了极富煽动性的动员演说。他说:"士兵们,你们缺吃少穿,共和国亏欠你们很多,但是国家还没有力量还债。我是来带领你们打进天下最富庶的平原去的。丰饶的省区、富裕的城镇,全都任凭你们处置。士兵们,你们面临这样的前景,能不鼓起勇气坚持下去吗?士兵们,祖国期望你们去取得重大成就,你们不会辜负祖国的期望吧?你们还有许多仗要去打赢,许多阵地要去夺取,许多河要去渡过。你们当中是否有人勇气低落了呢?没有!我们所有的人都要确立光荣的和平……我们所有的人都希望,在回到自己村子的时候,能说上一句:我曾经在战无不胜的意大利军团作过战。"

这是他第一次对自己的部下讲话。士气日益低沉的士兵们听了这位年轻无畏的带头人的一番演说后,无不满怀希望和信心。在热忱的感召下,意大利军团在英国舰队的炮火轰击下,翻越了阿尔卑斯山的天险处,以区区四千余人一举击溃了八万奥地利及撒丁联军。在以后的历次战役中,拿破仑都用同样的热忱唤起了法兰西人民高贵的精神和民族自豪感,而他本人也最终凭借于此而成为法国乃至世界最伟大的传奇皇帝之一。

看看这支食不果腹、衣不遮体的意大利军团能够在热忱的鼓舞下战胜强大的敌人，你还会抱怨自己没有钱、没有背景、没有经验吗？一切都不是决定性因素，只要你有热忱，成功就会像一位充满奔放爱情的姑娘不顾一切地来到你的身旁。

　　拿破仑·希尔告诉我们，热忱是一种意识状态，能够鼓舞及激励一个人对手中的工作采取行动，不仅如此，它还具有感染性，不只对其他热心人士产生重大影响，所有和它有过接触的人也将受到影响。意大利军团的胜利就证明了这一点。

　　热忱这个词源自于希腊语，意思是"受了神的启示"，这一表述形象地阐释了热忱的内涵。一个人，如果总是有着饱满的热情和积极向上的精神，那么无论他的生活多么艰苦，上帝都绝对无法剥夺此人的快乐。而在工作中，此人也会有更多的机会，在职业转行时也不会感到有多么大的不适应。

　　热忱，就是一个人保持高度的自觉，就是把全身的每一个细胞都调动起来，完成他内心渴望去完成的工作，做自己想做的事。只有用真正的热忱、用有生命力的语言表达出来的思想，才可能点燃生命中潜藏的原动力。

　　热情的奇效在什么地方？在于激发你不断追求成功的活力。本世纪英国著名首相狄斯雷利认为："一个人想成为伟人，惟一的途径便是：做任何事都要怀着热忱的心。"

　　美国大思想家爱默生也曾说过："伟大的事，没有一件可以没有热忱而能成就的。"

　　美国著名社会活动家贺拉斯·格里利说："只有那些具有极高心智并对自己的工作怀有真正热忱的人，才有可能创造出人类最优秀的成果。"

　　水一定要沸腾，才能转动机器，推动火车。每个成功的产生，必是热忱的产物。缺乏热忱，就像开一辆没有油的车，是无法走远的。同样的，人的态度若如温热不足的水，绝对无法推动他们生命的火车。因此，你必须先沸腾自己的血液，才能推动自己的躯体。

　　热忱和人类的关系，就好像是蒸汽和火车头的关系，它是行动的主要推动力。人类最伟大的领袖就是那些知道怎样鼓舞他的追随者发挥热忱的人。

　　把热忱和你的工作混合在一起，那么，你的工作将不会显得很辛苦或单调。热忱会使你的整个身体充满活力，使你只需在睡眠时间不到平时一半的情况下，工作量达到平时的 2 倍或 3 倍，而且不会觉得疲倦。

热忱是生命的原动力，没有它，任何你可能拥有的能力，便只能静止不动。我们可以肯定地说，几乎每个人都有许多尚未发掘出来的潜能。你也许有正确的判断力、远大的理想、丰富的学问，但是除非你投以高度的热忱，将自己的心放入思想和行动中，否则成就都是有限的。

古罗马哲学家德伦西说："凡简单的事，若因不乐意，则变成困难。"

一旦缺乏热忱，军队将无法克敌制胜，艺术品无法流芳百世；一旦缺乏热忱，人类将不会创作出震撼人心的音乐作品，不会建造出辉煌的不朽的宫殿，不能驯服自然界各种强悍的力量，不能用诗歌去打动心灵，不能用无私崇高的奉献去感动这个世界。也正是因为热忱，伽利略才举起了他的望远镜，最终让整个世界都拜倒在他的脚下；哥伦布才克服了艰难险阻，享受到了巴哈马群岛清新的晨风。凭借着热忱，自由才获得了胜利；凭借着热忱，弥尔顿、莎士比亚才写下了他们不朽的诗篇。

英国传教士、作家查尔斯·金斯利写道："人们总是面带微笑，看着青年人表现出的热忱。每次他们自己暗地里回顾自己当初的这种热忱时，未尝不带有一丝遗憾和惋惜，但他们却没有意识到，这种热忱之所以离他们而去，至少部分原因在于他们自己。"要用热忱的心度过短暂生命的每一秒钟，永远把自己想象成一轮初升的太阳。

初出茅庐的年轻人，既缺乏实践又没有经验，可是，这些都不能成为迈向成功的理由。因为在他们身上，强烈地凝聚着一种唤醒成功的力量，一种热忱的力量。看看我们身边的楷模，看看我们国家的中坚，不是有很多风华正茂的年轻人么？在他们的脸上，没有中年人饱经沧桑的忧虑和保守，只有饱满的、热忱的和感人的微笑。

热忱会使你精神百倍，昂然奋进，会使你充分释放出身体里蕴含的能量，发掘自己巨大的潜能。同时，你的热忱将感染和唤醒一批人，他们会成为你事业的忠实追随者。而掌握了热忱力量的你，注定会成为人群中的领袖。

一个人如若养成用热忱的态度来对待周围的一切事物，常常可以改变自己的整个生活，其中思维与心境的变化最为微妙，有时甚至可以使人看到生活中色彩斑斓的另一面。饱含热忱的人，必是有着快乐天性的人。这样的人不但是幸福的，而且是长寿的，对社会的贡献也是最大的，因为他们拯救了凡人的心灵。他们的幽默感，积极向上的品质以及崇尚生活乐趣的本性，也许微不足道，更谈不上伟大，但正是这些东西,支撑着我们的祖先熬过了混沌初开的艰苦卓绝,以一种傲然的姿态成为了万物的主宰者。

热忱的力量有着不可思议的魔力。当这股力量被释放出来支持明确目标,并不断用信心补充它的能量时,它便会形成一股不可抗拒的力量,并足以克服一切贫穷和艰难。你还可以将这股力量传给任何需要它的人,这恐怕是你能够运用热忱所做的最伟大的工作了。激发他人的想象力,激励他们的创造力,帮助他们和伟大的成功如期会面是热忱最大的价值。

控制自己的情绪是情商的重要内容,高情商者往往可以让自己的情绪处在一种积极的亢奋的状态,这种状态可以作为成功的动力,同时也可以感染周围的人,共同朝着胜利的曙光迈进。

测试:你了解自己的抱负水平吗?

你是否有强烈的进取心呢?或者你只是个随遇而安的人?通过下面这个测试,你可以了解自己究竟有多少雄心壮志。

1. 做一件事情,当结果与你的估计相符时,你就感到很满意;否则,即使别人说你成功了,你也会感到不满意。
    A.完全不同意
    B.比较不同意
    C.拿不准
    D.比较同意
    E.完全同意

2. 通常,对所做的事,你要求达到的标准往往要高于一般人。
    A.完全不同意
    B.比较不同意,
    C.拿不准
    D.比较同意
    E.完全同意

3. 对感兴趣的事,你都能尽力而为;对不感兴趣的事,干好干坏无所谓。

A.完全不同意
B.比较不同意
C.拿不准
D.比较同意
E.完全同意

4. 你觉得,做出成就是人生最重要的、最幸福的事情,即使苦些也值行。

A.完全不同意
B.比较不同意
C.拿不准
D.比较同意
E.完全同意

5. 每做一事,你通常都从工作方法上入手。

A.完全不这样
B.比较不这样
C.拿不准
D.比较这样
E.完全这样

6. 你经常成功,失败很少,即使失败了,也会在别的方面寻找弥补。

A.完全不同意
B.比较不同意
C.拿不准
D.比较同意
E.完全同意

7. 你的好胜心强,从不服输。

A.完全不同意
B.比较不同意
C.拿不准
D.比较同意

E.完全同意

8. 如果有几件事,重要程度相同、难易不等,你会选——
    A.最容易的
    B.比较容易的
    C.中等难度的
    D.比较难的
    E.最难的

9. 如果人们做某种事,预先有标准的话,你会选——
    A.最低标准
    B.较低标准
    C.标准适中
    D.较高标准
    E.最高标准

10. 你干一番事业的愿望程度是——
    A.根本不想。
    B.不太想。
    C.愿望适中。
    D.较想。
    E.非常想。

第四章 自我激励能力

　　以上 10 道测试题,选 A 得 1 分,选 B 得 2 分,选 C 得 3 分,选 D 得 4 分,选 E 得 5 分。将所有分数相加。

　　如果你所得到的总分在 40~50 分之间,说明你的抱负水平很高。你的事业心很强,成就动机很高,办事追求成功、完美,不喜欢半途而废。如果一件事没办好或失败了,你会感到非常不满意。你经常生活在一种紧张、焦虑的氛围中。你也许应该为自己创造一种轻松愉快的气氛来调剂身心,使工作完成得更为出色。

　　如果你所得到的总分在 25~39 分之间,说明你的抱负水平适中。你有较强的事业心和工作能力,能妥善处理好自己的能力和任务完成水平之间的关系,失败了也能正确对待。你身心健康,但还要不断提高自己的工作能力。

125

如果你的总分在 10~24 分之间,说明你的抱负水平较低。你的事业心不强,不喜欢争强好胜,只求过一种安稳的日子。你对自己的工作标准提得过低,这样不利于你能力的充分发挥和提高。你应该在工作上严格要求自己,在奋斗中实现自己的价值。

情商提高:进取者要敢于冒险

如何才能永远保持一个进取的心呢?你要能够不断地在尝试中找到乐趣,甚至要学会冒险。人们常说:学海无涯,学无止境。同样,任何一个可以衡量人的价值的指标都是没有上限的。就像 100 米跑的世界纪录,虽然每次纪录被打破的时候人们总是以为这个纪录是难以超越的了,但是仍无法阻止它一次次的被打破。

但是,人的寿命是有限的,任何人都明白自己无论如何努力都无法永远保持第一的位置。即使是真的不世奇才,达到了让人难以赶超的水平,也会产生金庸笔下"独孤求败"那样"拔剑四顾无敌手"的寂寞心情,从而丧失了"更上一层楼"的进取心。

所以,要是自己的进取心不被消磨,就要抛弃名利的衡量,而学会欣赏超越本身的乐趣。

哥伦布年轻的时候,曾经过着海盗生活,这不是值得惊奇的事,因为当年一些良好的家庭,都愿意把孩子送到海盗船上去工作,使孩子可以增长一点见闻,尝尝人生磨难,而且还可以多赚一点钱。在他们看来,只要这种事情不被官方捉住,也就无所谓羞耻与卑贱,要是不幸被逮着了,也只好自叹命运不济了。

哥伦布还在求学的时候,偶然读到一本毕达哥拉斯的著作,知道地球是圆的,他就牢记在脑子里。经过很长时间的思索和研究后,他大胆地提出,如果地球真是圆的,他便可以经过极短的路程而到达印度了。自然,许多有常识的大学教授和哲学家们都耻笑他的意见,因为,他想向西方行驶而到达东方的印度,岂不是傻人说梦话吗?

他们告诉他"地球不是圆的,而是平的",然后又警告他,要是一直向西航行,他的船将驶到地球的边缘而掉下去……这不是等于走上自杀之路吗?然而,哥伦布对这个问题很自信,只可惜他家境贫寒,没有钱让他去实现这个冒险的理想,他想从别人那儿得到一点钱,助他成功,但一连空等了 17 年,还是失望,所以,他决定不再向这个"理想"努力了,因为使他忧虑和失望的事情太多了,竟使他的红头发也完全变

情

商

白了——虽然当时他还不到 50 岁。

灰心的哥伦布,这时只想进西班牙的修道院,去度过其后半生。正在这时候,罗马教皇却怂恿西班牙皇后伊莎贝露帮助哥伦布。教皇先送了 65 块钱给哥伦布,算是路费;但他自觉衣服过于褴褛,便用这些钱买了一套新装和一匹驴子,然后启程去见伊莎贝露,沿途穷得竟以乞讨煳口。皇后赞赏他的理想,并答应赐给他船只,让他去从事这种冒险的工作。为难的是,水手们都怕死,没人愿意跟随他走,于是哥伦布鼓起勇气跑到海滨,捉住了几位水手,先向他们哀求,接着是劝告,最后用恫吓的手段逼迫他们去。一方面他又请求女皇释放了狱中的死囚,允许他们如果冒险成功,就可以免罪恢复白由。

一切都准备妥当。1492 年 8 月,哥伦布率领三艘船,开始了一个划时代的航行。刚航行几天,就有两艘船破了,接着又在几百平方公里的海藻中陷入了进退两难的险境,他亲自拨开海藻,才得以继续航行。在浩瀚无垠的大西洋中航行了六七十天,也不见大陆的踪影,水手们都失望了,他们要求返航,否则就要把哥伦布杀死。哥伦布兼用鼓励和高压两手,总算说服了船员。

也是天无绝人之路,在继续前进中,哥伦布忽然看见有一群飞鸟向西南方向飞去,他立即命令船队改变航向,紧跟这群飞鸟。因为他知道海鸟总是飞向有食物和适于它们生活的地方,所以他预料到附近可能有陆地。果然很快发现了美洲新大陆。

当他们返回欧洲报喜的时候,又遇上了四天四夜的大风暴:船只面临沉没的危险。在十分危急的时刻,他想到的是如何使世界知道他的新发现,于是,他将航行中所见到的一切写在羊皮纸上,用蜡布密封后放在桶内准备在船毁人亡后,使自己的发现能够留在人间。

哥伦布他们总算很幸运,终于脱离了危险,胜利返航了。

无须赘言,哥伦布如果没有不怕困难、不怕牺牲、勇往直前的冒险精神,"新大陆"能早日被发现吗?哥伦布的探险成功了。可惜,哥伦布至死都不知道自己发现的是美洲新大陆,他还以为,自己只不过是发现了一条到达印度的新航路而已,所以把美洲红皮肤的土人,也称呼为"印度人"。

哥伦布那种无畏、勇敢和敢于冒险的精神,真值得作为我们的模范。当水手们畏惧退缩的时候,只有他还要勇往直前;当水手们"恼羞成怒"警告他再不折回,便要叛变杀了他时,他的答复还是那一句话:"前进啊! 前进啊! 前进啊!"

哥伦布的故事告诉我们,一个人敢于冒险,才能冲破人生的难关,到达新的人生境界。然而,我们看到,世界上大多数人不敢冒险,他们熙来攘往地拥挤在平平安安的大路上,四平八稳地走着,这路虽然平坦安宁,但距离人生风景线却迂回遥远,他们永远也领略不到奇异的风情和壮美的景致。他们平平庸庸、清清淡淡地过了一辈子,直至走到人生的尽头也没有享受到真正成功的快乐和幸福的滋味。他们只能在拥挤的人群里争食,闹得薄情寡义也仅仅是为了填饱肚子,穿上裤子,养活孩子。其实这样并不安全,因为仍然要承受挨饿与被人鄙夷的风险。

所以,生命运动从本质上说应该就是一次探险,如果不是主动地迎接风险的挑战,便是被动地等待风险的降临。惟有带着沉重的风险意识,敢于怀疑和打破以往的秩序,通过冒险而取得胜利后,才能享受到人生的最大喜悦。现代人应该强烈地追求这种境界而不应安于过一种平平常常、千篇一律的生活。冒险是激发人的情商潜能的一个重要途径。

在我们身边,也许许多成功人士,并不见得一定比你"会"做,但重要的是他比你敢于铤而走险,所以才能冲破人生难关。

哈默就是这样一个人。1956 年,58 岁的哈默购买了西方石油公司,开始大做石油生意。石油是最能赚大钱的行业,也正因为最能赚钱,所以竞争尤为激烈。初涉石油领域的哈默要建立起自己的石油王国,无疑面临着极大的竞争风险。首先碰到的是油源问题。1960 年石油产量占美国总产量 38%的得克萨斯州,已被几家大石油公司垄断,哈默无法插手;沙特阿拉伯是美国埃克森石油公司的天下,哈默难以染指……如何解决油源问题呢?

1960 年,当花费了 1000 万美元勘探基金而毫无结果时,哈默再一次冒险地接受一位青年地质学家的建议:旧金山以东一片被德士古石油公司放弃的地区,可能蕴藏着丰富的天然气,并建议哈默的西方石油公司把它租下来。哈默又千方百计从各方面筹集了一大笔钱,投入了这一冒险的行动。当钻到 860 英尺(大约 262 米)深时,终于钻出了加利福尼亚州的第二大天然气田,估计价值在 2 亿美元以上。

哈默成为成功人士的事实告诉我们:"风险和收获的大小是成正比的,巨大的风险能带来巨大的效益。"

幸运喜欢光临勇敢的人,冒险是表现在人身上的一种勇气和魄力。冒险与收获常常是结伴而行的。一个把自己限于牢笼中的人,是生活的奴隶,无异于丧失了生活的自由。只有勇于尝试的人,才拥有生活

情
商

的自由，才能激发生命的火花，最大化地发挥自身的潜能。也许，你本来可以摘取成功之果，分享成功的最大喜悦，可是你却甘愿把它放弃了。与其造成这样的悔恨和遗憾，不如去勇敢地闯荡和探索。与其平庸地过一生，不如做一个敢于冒险的英雄。

只要你想，你就可以做到

除了勇气，我们还要拥有热忱。要拥有热忱其实并不困难。你所需要的，就是采取热忱的行动，并且保持这种行动，直到你变得热情为止。美国心理学之父威廉·詹姆斯把这个原则形容为"好像"原则。这种方法很简单，只要把自己的行为假装成自己所希望的那种人，你就会逐渐地变成那种人。

如果你沮丧，就假装成很乐观，你便会开始觉得开朗起来。若是持续得够久，原本只是表现出开朗的样子，随后便在不知不觉中，成为真正乐观快乐的人。

这个原则，运用在增加热忱上，也有同样的效果。刚开始装成很热忱的样子时，效果可能不会很显著，甚至还有点虚伪不实在，怎么做都不觉得很有热忱。但坚持下去，某一天，你会突然觉得心中涌进了很多热忱。这就是"好像"原则的行为法则。

佛里德利·威尔森在被问到如何才能使事业成功时回答说："我深切地感受到，一个人的经验越多，对事业就越认真，这是大多数人最易忽略的成功秘诀。成功者和失败者的聪明才智，相差并不大。如果两者实力相差无几的话，对工作较富热忱的人，一定更容易获得成功。一个能力逊色但富有热忱，和一个能力出众但缺乏热忱的人相比，前者的成功也多半会胜过后者。"

英国政治家格莱斯顿曾经说过，最有意义的事情莫过于把一个孩子内心潜藏的热忱激发出来。事实上，每一个孩子身上或多或少都有一些将来可以成就大器的潜质，不仅那些反应敏捷、聪明伶俐的孩子是这样，那些相对来说有些木讷，甚至看起

来有些愚钝的孩子也有这样的潜质。他们一旦产生了热忱,凭借这种热忱的力量,原先人们在他们身上看到的"愚钝"也会慢慢消失。

英国作家约翰·班扬一生穷困潦倒。他曾有多次机会可以让自己获得自由;他曾不得不和双目失明的女儿玛丽分别,按他自己的说法,这就像从他身上撕下一块肉一样悲痛;他接济了一户穷苦人家,他们依赖他才能够生存;他热爱自由,也有很多抱负,但所有这一切并没有使他放弃布道的工作。他在幼年的时候曾受过一些教育,但长大后几乎忘得一干二净了,于是就在妻子的指导下又重新学习,开始阅读、写作。最终,这位来自贝德福德的补锅匠,虽然没有知识,不名一文,受人歧视,却凭着信仰的热忱,写出了一部吸引了全世界读者的不朽寓言《天路历程》。

热忱是会传染的。在一个积极热情的人面前,你很难保持冷漠的态度。

热忱就像金秋十月无私的阳光,既温暖了自己,也同样普照了他人。

热忱会使你精神百倍,昂然奋进,会使你充分释放出身体里蕴涵的能量,发掘自己巨大的潜能。

一个满腔热忱的人,不论是在田间劳作,或是在领导大公司,都会认为自己的工作是一项神圣的天职,并怀有浓烈的兴趣。对自己的工作热忱的人,不论工作有多么困难,或需要多么艰苦的训练,始终会用从容不迫的态度去应对。只要具有这种态度,任何人都会成功,一定会达到目标。

第2节 冲劲

随时准备采取行动,抓住机会

没有人可以否认,一个人的成功要靠努力和一点点运气。很多人就是缺乏这一点点运气。其实每个人一生中得到的机会大体都是相等的,只是情商低的人很难抓住机会,白白让机会溜掉,甚至像青蛙一样,根本看不见机会就老老实实地待在他的鼻子底下。

一个机会可以决定人的一生

著名的节目主持人杨澜能成为中国家喻户晓的人物,这和她善于抓住机会展示自己是分不开的。作为一名当代大学生,她的成功颇具典范意义,是很值得剖析的。她的转折点来自于应聘中央电视台《正大综艺》节目主持人。

在此之前,她只是北京外国语大学的一名普通大学生,并没有什么惊人之举。如果没有这次机遇的话,杨澜也可能会活得很优秀,但绝不可能这么早、这么快又是这么轰轰烈烈地成名。

正如杨澜在自传里所说的那样:"如果没有一个意外的机会,今天的我恐咱已做了什么大饭店的什么经理,带着职业微笑,坐在一张办公桌后面了。"而这个意外机会的掌握,正是靠着她自己的出色表现。

这个机会便是泰国正大集团结束了与几个地方台的合作,转与中央电视台共同制作《正大综艺》。双方决定要挑选一位有大学经历的女大学生做主持人,杨澜也被推荐参加试镜。

说实话,杨澜并不被人看好,只是因为她的气质较佳,所以才能一路过关斩将杀人总决赛。据一位导演透露,虽然杨澜被视为最佳人选,但是被有的人认为还不够漂亮,所以用不用她尚不能确定。

最后确定人选的时候到了,电视台主管节目的领导也到场了,他们要在杨澜与另外一位连杨澜也不得不承认"的确非常漂亮"的女孩子中选择一人。谁将是最后的选择?杨澜的好胜心一下子被激起,她想:"即使你们今天不选我,我也要向你们证明我的素质。"

这次考试,两人的题目是:

一、你将如何做这个节目的主持人;
二、介绍一下你自己。

杨澜是这么开始的:"我认为主持人的首要标准不是容貌,而是要看她是否有强烈的与观众沟通的愿望。我希望做这个节目的主持人,因为我喜欢旅游,人与大自然相亲相近的快感是无与伦比的,我要把自己的这些感受讲给观众听……"

在介绍自己时,杨澜是这样说的:"父母给我取'澜'为名,就是希望我有大海一样的胸襟,自强、自立,我相信自己能做到这一点……"

杨澜一口气讲了半个小时，没有一点文字参考，她的语言流畅，思维严密，富有思想性，很快赢得了诸位领导的赏识，人们不再关注她是否长得漂亮，而是被她的表现深深吸引住了。据杨澜后来回忆说："说完后，我感到屋子里非常安静，今天看来，用气功的说法，是我的气场把他们罩住了。"当杨澜再次回到那个房间，中央电视台已经决定正式录用她了，这次面试改变了她的一生。

从杨澜面试的经历中，我们知道，善于表现自己有时对人生会起到决定性作用。即使不是在关键时刻，善于表现自己也应是一门把握成功必不可少的功夫。特别是身处一个讲究张扬自己个性的时代，懂得用最佳的方式在最适当的时机表现自己，是一个人情商高低的衡量标准之一。

在某种特殊的场合下，沉默、谦逊确实是一种"此时无声胜有声"的制胜利器，但无论如何你也不要把它处处当作金科玉律来信奉。在人才竞争中，你要将沉默、踏实、肯干、谦逊的美德和善于表现自己结合起来，才能更好地让别人赏识你。

有一位女孩，在学校时是一个有名的才女，她不但琴棋书画无所不通，论口才与文采也是无人可与之比肩的。大学毕业后，在学校的极力推荐下去了一家小有名气的杂志社工作。谁知就是这样的一个让学校都引以为自豪的人在杂志社工作不到半年就被炒了鱿鱼。

原来，在这个人才济济的杂志社内，每周都要召开一次例会，讨论下一期杂志的选题与内容。每次开会很多人都争先恐后地表达自己的观点和想法，只有她总是悄无声息地坐在那里一言不发。她原本有很多好的想法和创意，但是她有些顾虑，一是怕自己刚刚到这里便"妄开言论"，被人认为是张扬，是锋芒毕露；二是怕自己的思路不合主编的口味，被人看作为幼稚。就这样，在沉默中她度过了一次又一次激烈的争辩会。有一天，她突然发现这里的人们都在力陈自己的观点，似乎已经把她遗忘在那里了。于是她开始考虑要扭转这种局面。但这一切为时已晚，没有人再愿意听她的声音了，在所有人的心中，她已经根深蒂固地成了一个没有实力的花瓶人物。最后，她终于因自己的过分沉默而失去了这份工作。所以最后我还是要告诫大家，沉默是金，同时也是埋没天才的沙土，只是看你怎样去利用。

传统的观念认为"是金子总会发光的"，但随着人才竞争的日趋激烈，越来越多的人才无情地被埋没。由此，懂得表现自己的才华，让"伯乐"赏识并重用自己已经是一门不可忽视的学问。

机遇与挑战并存

当你面临一个巨大的挑战时，就说明机会已经在向你招手了，就好像当你看到一个机会时，必然有一个挑战等待你一样。

如今已是某保险公司股东会成员之一的赵女士回忆起她的成功经历时说，她所卖出的数额最大的一张保单不是在她经验丰富后，也不是在觥筹交错中谈成的，而是在她第一次上门推销的时候。

她去的那家企业是当地最大的一家合资电子企业，初出茅庐的赵女士对这样的企业有些敬畏，不太敢进去，毕竟那是她第一次推销。犹豫很久之后她还是进去了，整个楼层只有外方经理在。

"你找谁？"他的声音很冷漠。

"是这样的，我是保险公司的业务员，这是我的名片。"

赵女士双手递上名片，心里有些发虚。在学校和老外没少打交道，可眼前这老外是个年轻的老板，感觉上有些不同。

"推销保险？今天已经是第三个了，谢谢你，或许我会考虑，但现在我很忙。"老外的发音直直的，像直线一样，因此听不出任何感情色彩。

赵女士本来也不指望那天能卖出保险，所以毫不犹豫地说了声"Sorry（对不起）"就离开了。如果不是她走到楼梯拐角处下意识地回头时，或许她就这么走了，以后也不会有任何事情发生。

赵女士回了一下头，看见自己的名片被那个老外一撕就扔进了废纸篓里，赵女士感到非常气愤。

于是她转身回去，用英语对那个老外说："先生，对不起，如果你不打算现在考虑买保险的话，请问我可不可以要回我的名片？"

老外的眼中闪过一丝惊奇，旋即平静了，耸耸肩问她："Why？（为什么）"

"没有特别的原因，上面印有我的名字和职业，我想要回来。"

"对不起，小姐，你的名片让我不小心洒上墨水了，不适合还给你了。"

"如果真的洒上墨水，也请你还给我好吗？"赵女士看了一眼废纸篓。

片刻，他仿佛有了好主意："OK，这样吧。请问你们印一张名片的费用是多少？"

"五毛，问这个干什么？"赵女士有些奇怪。

"OK，OK。"他拿出钱夹，在里面找了片刻，抽出一张一元的钱："小姐，真的很对不起，我没有五毛零钱，这是我赔偿你名片的，可以吗？"

赵女士想夺过那一块钱，撕个稀烂，告诉他她不稀罕他的破钱，告诉他尽管她们是做保险推销的，可也是有人格的。但是她忍住了。

她礼貌地接过一元钱，然后从包里抽出一张名片给了他："先生，很对不起，我也没有五毛的零钱，这张名片算我找给你的钱，请您看清我的职业和我的名字。这不是一个适合进废纸篓的职业，也不是一个应该进废纸篓的名字。"

说完这些，赵女士头也不回地转身走了。没想到第二天，赵女士就接到了那个外方经理的电话，约她去他公司。赵女士几乎是趾高气扬地去的，打算再次和他理论一番。但是他告诉赵女士的是，他打算从她这里为全体职工购买保险。

有一个男孩在报上看到应征启事，正好是适合他的工作。第二天早上，当他准时前往应征地点时，发现应征队伍已排了 20 个男孩。

如果换成另一个意志薄弱、不太聪明的男孩，可能会因此而打退堂鼓。但是这个小伙子却完全不一样。他认为自己应该动动脑筋，运用自身的智慧想办法解决困难。他不往消极方面思考，而是认真用脑子去想，看看是否有办法解决。

他拿出一张纸，写了几行字，然后走出行列，并要求后面的男孩为他保留位子。他走到负责招聘的女秘书面前，很有礼貌地说："小姐，请你把这张纸交给老板，这件事很重要。谢谢你！"

这位秘书对他的印象很深刻。因为他看起来神情愉悦，文质彬彬，有一股强有力的吸引力，令人难以忘记。所以，她将这张纸交给了老板。老板打开纸条，见上面写着这样一句话："先生，我是排在第 21 号的男孩。请不要在见到我之前做出任何决定。"可以想见，这位男孩获得了这份工作。

像他这样会思考的男孩无论到什么地方一定会有所作为。虽然他年纪很轻，但是他知道如何去想，认真思考。他已经有能力在短时间内抓住问题核心，然后全力解决它，并尽力做好。

实际上，人在一生中会遇到很多诸如此类的问题。当遇到问题时，一旦认真进行思考,便很容易找到解决办法。在遇到困难时,你应把自己当成强者,并把困难当作机遇,在心里把自己当成冠军。

几乎没有人考虑过自己在诞生之前就赢得了许多战役。遗传进化学家设菲尔德说:

停下来考虑你自己的事吧。在整个世界史中,没有任何别的人会跟你一模一样。在将要到来的全部无限的时间中,也绝不会有像你一样的另一个人。

你是一个很特殊的人。为了生下你,许多斗争发生了,这些斗争又必须以成功告终。想想这样一幅伟大的情景吧:数以亿计的精细胞参加了巨大的战斗,然而其中只有一个赢得了胜利——就是构成你的那一个!这是为了达到一个目标而进行的一次大规模的赛跑:这个目标就是包含一个微核的宝贵的卵子。这个为精子所争夺的目标比针尖还要小,而每个精子也是小得要被放大到几千倍才能为肉眼所见。然而,你生命的最具有决定性的战斗就是在这么微小的场合里进行并最终获得胜利的。

人最重要的生命已经开始,你生下来就成了一名冠军,这种情况是你以后必定还要面临的。为了所有实际的目的,你已从过去巨大的积蓄中继承了你所需要的一切潜在的力量和能力,以便达到你的目的。

你生来便是一名冠军,现在无论有什么障碍和困难处在你的道路上,它们都不及你在成胎时所克服的障碍和困难的十分之一那么大!

古人云:"天将降大任于斯人也,必先苦其心志,劳其筋骨,饿其体肤,空乏其身,行拂乱其所为,所以动心忍性,增益其所不能。"苦难是锻炼人意志的最好学校。与苦难搏击,它会激发你身上无穷的潜力,锻炼你的胆识,磨练你的意志。也许,身处苦难之时你会倍感痛苦与无奈,但当你走过困苦之后,你会更加深刻地明白:正是那份苦难给了你人格上的成熟和伟岸,给了你无所畏惧去面对一切的能力,以及与这种能力紧密相连的面对苦难的心态。

苦难,在不屈的人面前会化成一种礼物,这份珍贵的礼物会成为真正滋润你生命的甘泉,让你在人生的任何时刻,都不会被轻易击倒!

戴高乐曾经说过:"困难,特别吸引坚强的人。因为他只有在拥抱困难时,才会真正认识自己。"这句话一点儿也没错。你自己努力过吗?对于你所遭遇的困难,你愿意努力去尝试,而且不止一次地尝试吗?只尝试一次是绝对不够的,需要多次尝试。那样,你会发现自己心中蕴藏着巨大的能量。

机会就在墙后面

机会不是可遇不可求的,很多人在失败的时候并不知道,只要再多努力招一次手,机会就会在你身边停下来。

谁都知道凡尔纳是一位世界闻名的法国科幻小说作家,但很少有人知道,凡尔纳为了发表他的第一部作品,曾经遭受过多么大的挫折!

这里记录的,就是凡尔纳当时的一段令他难忘的经历:

1863 年冬天的一个上午,凡尔纳刚吃过早饭,正准备到邮局去,突然听到一阵敲门声。凡尔纳开门一看,原来是一个邮政工人。工人把一包鼓鼓囊囊的邮件递到了凡尔纳的手里。

一看到这样的邮件,凡尔纳就预感到不妙。自从他几个月前把他的第一部科幻小说《乘气球五周记》寄到各出版社后,收到这样的邮件已经是第 14 次了。他怀着忐忑不安的心情拆开一看,上面写道:"凡尔纳先生:尊稿经我们审读后,不拟刊用,特此奉还。某某出版社。"每看到这样一封封退稿信,凡尔纳都是心里一阵绞痛。这次是第 15 次了,还是未被采用。

凡尔纳此时已深知,那些出版社的"老爷"们是如何看不起无名作者。他愤怒地发誓,从此再也不写了。他拿起手稿向壁炉走去,准备把这些稿子付之一炬。凡尔纳的妻子赶过来,一把抢过手稿紧紧抱在胸前。此时的凡尔纳余怒未息,说什么也要把稿子烧掉。他妻子急中生智,以满怀关切的感情安慰丈夫:"亲爱的,不要灰心,再试一次吧,也许这次能交上好运的。"听了这句话以后,凡尔纳抢夺手稿的手,慢慢放下了。他沉默了好一会儿,然后接受了妻子的劝告,又抱起这一大包手稿到第 16 家出版社去碰运气。

这次没有落空,读完手稿后,这家出版社立即决定出版此书,并与凡尔纳签订了 20 年的出书合同。

没有他妻子的疏导,没有"再努力一次"的勇气,我们也许根本无法读到凡尔纳笔下那些脍炙人口的科幻故事,人类就会失去一份极其珍贵的精神财富。

凡尔纳的经历告诉我们,如果我们已经付出了很多努力去做一件事,就不应轻易放弃,而应坚持不懈。这样,才不会前功尽弃,失去成功的机会。坚持不懈,几乎是每位伟大人物的特征。历史上许多伟大的成功者,都是靠持久心而造就的。发明家在埋头研究的时候,是何等的艰

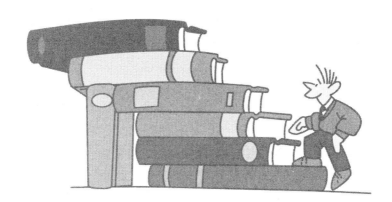

苦,一旦成功,又是何等的愉快。世界上一切伟大的事业,都在坚韧勇毅者的掌握之中,当别人开始放弃时,他们却仍然坚定地去做。

具有坚韧勇毅的精神是最宝贵的,具有这种精神才能克服一切艰难困苦,达到成功。有人在向一位企业的人事主管推荐一位朋友时,举出了这位朋友的许多优点,那位人事主管问道:"他能保持这些优点吗?"这实在是最关键的问题。首先是,有没有优点?然后是,有了优点,能否保持?遇到失败,能否坚持不懈?

美国前总统罗纳德·里根曾讲述过这样一段亲身经历:每当里根失意时,他的母亲就这样说:"最好的总会到来,如果你坚持下去,总有一天你会交上好运。并且你会认识到,要是没有从前的失望,那是不会发生的。"

他的母亲说得很正确,当里根于 1932 年大学毕业后,也明白了这个道理。当时里根计划在电台找份工作,然后,再设法去做一名体育播音员。

于是,里根就搭便车去了芝加哥,敲开了每一家电台的门,但每次都碰一鼻子灰。在一个播音室里,一位很和气的女士告诉他,大电台是不会冒险雇用一名毫无经验的新手的。并且劝告里根去试试找家小电台,那里可能会有机会。里根又搭便车回到了伊利诺斯州的迪克逊。虽然迪克逊没有电台,但里根的父亲说,蒙哥马利·沃德公司开了一家商店,需要一名当地的运动员去经营它的体育专柜。由于里根在迪克逊中学打过橄榄球,于是就提出了申请。那工作听起来正合适,却未能如愿。里根失望的心情溢于言表。

母亲提醒他说:"最好的总会到来。"父亲借车给他,于是里根驾车行驶了 70 英里来到了特莱城。

里根试了试发伺华州达文波特的 WOC 电台。节目部主任是位很不错的苏格兰人,名叫彼特·麦克阿瑟。他告诉说他已经雇用了一名播音员。当里根离开他的办公室时,受挫的郁闷心情一下子发作了。里根大声地问道:"要是不能在电台工作,又怎么能当上一名体育播音员呢?"

里根正在那里等电梯,突然听到了麦克阿瑟的叫声:"你刚才说体育什么来着?你懂橄榄球吗?"接着他让里根站在一架麦克风前,叫里根凭想象播一场比赛。结果,里根被录用了。

在这方面,卡耐基的名言是:"不达目的不罢休。"

麦当劳总裁雷·克罗克也说:"只有坚持和决断才是全能的。只有坚持和决断,才是成功的最重要品质。世界上有什么比坚持更为重要?什么叫才干?世上有才干而没有获得成功的人司空见惯。有天赋就能成功吗?没有得到回报的天赋只能成为笑柄。教育就能一步登天吗?世界上到处都是受过教育却被社会抛弃的人。"

莎士比亚说:"千万人的失败,都失败在做事不彻底上;往往做到离成功还差一步,但终止不做了。"机会就在墙后面,翻过墙去就可以找到。一个人,不论他失败多少次,只要他调整好自己的情绪,拥有"再试一次"的勇气,终究会取得成功。

测试:你是个实干家还是梦想家

你是个光说不练的人,还是一个能够抓住机会付诸实际行动的人?下面这个小测试可以使你对自己有一个正确地认识。

1. 你喜欢忙忙碌碌过日子吗?
2. 你会对塞车的情况不耐烦吗?
3. 你一直在换工作吗?
4. 你无法忍受闲着没事干的情况吗?
5. 凡事你喜欢参与,而胜过旁观吗?
6. 如果乘电梯的人太多时,你宁愿爬楼梯吗?
7. 别人曾经抱怨你的动作太快吗?
8. 即使在周末,你也一样早起吗?
9. 你总是对新的工作计划表现一般吗?
10. 你喜欢组织群众吗?
11. 你喜欢行动胜过计划吗?
12. 你花许多时间来苦思冥想吗?

13. 你曾经臆想"究竟人来自何处"和"为什么"吗？

14. 你喜欢做填字游戏吗？

15. 你喜欢参观博物馆和画廊吗？

16. 你喜欢言之有物的聊天吗？

17. 你习惯一次爬两级楼梯吗？

18. 在同样的时间内，你常比别人完成较多的事情吗？

19. 度假的时候，你喜欢刺激热闹胜过于悠闲自在吗？

20. 成天无事可做，你会觉得无聊吗？

对于上面二十个题目，如果你的回答为"是"，则计 1 分，否则计 0 分。

如果你的分数是 12~20 分，你是个标准的实践家。凡事你不会光说不练，尤其喜欢忙忙碌碌地过日子；你能够抓住眼前的每一个机会，喜欢主动参与，转划永远排得满满的，越忙越有劲。

如果你的分数是 6~11 分，你是个介于实践家和梦想家之间的人。你喜欢过得忙碌，但不反对偶尔静下来思考一番。因此，像你这样的人，虽然更容易适应各种环境，但是也会让机会在眼前溜掉。

如果你的分数是 5 分以下，你是个标准的梦想家。你宁愿一个人抱着一本书看或任思维四处遨游。虽然你也喜欢有人做伴、和人聊天，但是你很懂得娱乐自己、享受独处的乐趣。如果你自己不愿意去争取，你会悠闲地看着机会迈着方步从你眼前走开。

情商提高：机不可失，时不再来

淮阴侯韩信身经百战，战无不胜，攻无不克，是一员颇具大智大勇的战将，可是，他的"大智大勇"却掩盖不了他优柔寡断、胆小怯弱的性格。在长达四年的楚汉相争期间，如果韩信既不从项羽也不属刘邦，自树一帜，就可同刘、项形成三足鼎立之势，而且当时的环境也为他自立提供了多次机遇。正是由于他优柔寡断、胆小怯弱的性格，才使他最终不仅失去了自立为王的机会，还惨死于女人的刀下。

韩信率兵伐齐，斩了齐王田广，占领了齐国，不仅扩大了疆域，也壮大了自己的势力。这时，他已有数十万大军，成为举足轻重的人物。当时楚汉相争的形势是，韩信叛刘归项则刘灭，向刘背项则项亡。如果韩信自树一帜就会形成三足鼎立之势。

在刘邦与项羽相争得最激烈时期，诸侯各据一方，或叛项归刘，或背刘降项,或自立为王,群雄逐鹿,各逞其能。在风云变幻的楚汉相争中,英雄辈出,居然有一个不起眼的小人物——蒯通。他把当时天下的形势看得极为透彻。他深知"天下权在信"。于是他拜见韩信,从当时的形势,韩信所处的环境与他的实力,以及他将来得天下的利益等诸方面苦口婆心地规劝韩信造反自立。可是韩信考虑许久还是说:"先生言之有理,容我权衡一下,再做决定。"蒯通以为韩信已被自己蒯通本以为韩信是个胸怀大志的人,将来一定能做出经天纬地的大事业,可他等了数日,却不见韩信有要自立为王的迹象,便又找韩信,说:"希望将军恤做决定,机不可失,失不再来。"

韩信当即回答说:"先生请不要再费心了。我考虑再三,自从归汉后,刘邦肯把将军大印交给我,统领数万大军,现在又封我为齐王,如果忘恩负义,必遭报应。况且我擒魏豹、平赵、定燕、灭齐,立下战功累累,又一向以忠信对待他,我想汉王不会亏待我的。"

蒯通听后,明知再劝也没用,转身告退。他担心招惹是非,便仰天长叹,佯装疯癫,逃离汉营。

后来韩信又一次错失良机。刘邦追杀项羽旧部钟离昧,韩信出于同乡之谊收留了他。这招致了刘邦的不满,而此时韩信若能当机立断,肯与钟离昧联手共同抗汉,那不仅保护了钟离昧的性命,他自己日后也能幸免于难,而且或许他们的前程似锦。可惜的是,韩信在这次机遇面前仍犹豫不决,于是不仅失去了朋友,又眼睁睁地失去了成功的机会。

然而,刘邦和吕后却不优柔,他们快刀斩乱麻,处决了韩信。韩信在优柔中被杀,其实他到死都没有真反,而只是在犹豫,他是被半推半就硬拉上刑场的,直到临死一刻,韩信才仰天长叹:"悔不听蒯通言,反被女人以计诛杀,呜呼哀哉!"

世间最可怜的就是那些遇事举棋不定,犹豫不决,莫知所趋的人;就是那些自己不能抉择,而惟人言是听的人。对于那些总是摇摆不定、犹豫不定的人来说,世界上没有什么东西能帮助他们形成迅速决断的行动习惯。因此,一个人永远不要在冥思苦想中一会儿提出问题的这一方面,一会儿又提出问题的那一方面,试图面面俱到、万事平衡的人做出的无益而琐碎的分析,是抓不住事物的本质的。决策最好是决定性的、不可更改的,一旦做出之后就要用所有的力量去执行,就算有时候会犯错,也比某些人那种事事求平衡、总是思来想去和拖延不决的习惯要好。当我们致力于形成一种快速决策的习惯时,哪怕在最初的一段时间里这种做法显得有些机械,它也会让我们产生对自己判断力的信心。

习惯于犹豫的人，对自己完全失去自信，所以在比较重要的事件当前，他们总没有决断。有些素质、人品及机会都很好的人，就因为寡断的个性，一生也就给糟蹋了。威廉·沃特说："如果一个人永远徘徊于两件事之间，对自己先做哪一件犹豫不决，他将会一件事情都做不成。如果一个人原本做了决定，但在听到自己朋友的反对意见时犹豫动摇、举棋不定，在一种意见和另一种意见、这个计划和那个计划之间跳来跳去，像风标一样摇摆不定，每一阵微风都能影响它，那么，这样的人肯定是个性软弱、没有主见的人，他在任何事情上都只能是一无所成，无论是举足轻重的大事还是微不足道的小事，概莫能外。

墙头草般左右不定的人，无论他在其他方面有多强大，在生命的竞赛中，他总是容易被那些坚持自己的意志且永不动摇的人挤到一边，因为后者明白自己想要做什么并立刻着手去做。甚至可以这样说，连最睿智的头脑都要让位于果敢的判断力。毕竟，站在河此岸犹豫不决的人，是永远不会渡登彼岸的。数不胜数的成功商人就是因为在某个关键点上，冒着巨大的风险，快速地做出决定，从而创造了财富。而成千上万的人之所以在生命的战场中溃败而归，仅仅是因为耽搁和延误。

莎士比亚说："我记得，当恺撒说'做这个'时，就意味着事情已经做了。"

乔治·艾略特则这样判断一个人："等到事情有了确定的结果才肯做事的人，永远都不可能成就大事。"

除非你一生自甘沉沦，否则你不会选择优柔寡断。

印度有一位知名的哲学家天生有一种特殊的文人气质。某天，一个女子来敲他的门，她说："让我做你的妻子吧，错过了我你将再也找不到比我更爱你的女人了。"

哲学家虽然也在爱着她，但仍回答说："让我考虑考虑！"

事后，哲学家用他一贯研究学问的精神，将结婚和不结婚的理由所在一一列举出来进行比较，可是发现好坏均等，这让他不知该如何抉择。于是，他陷入长期的苦恼之中，迟迟无法做出决定。最后，他得出一个结论：人若在面临抉择而无法取舍的时候，应该选择自己尚未经历过的那一个；不结婚的处境我是清楚的，但结婚会是个怎样的情况我还不知道。对！我该答应那个女人的请求。

于是，哲学家来到女人的家中，对女人的父亲说："你的女儿呢？请你告诉她我考虑清楚了，我决定娶她为妻。"

第四章 自我激励能力

141

女人的父亲冷漠地回答："你来晚了十年，我女儿现在已经是三个孩子的妈妈了。"

哲学家听了，整个人近乎崩溃，他万万没有想到向来自以为傲的哲学头脑，最后换来的竟然是一场悔恨。

此后两年，哲学家抑郁成疾，临死前将自己所有的著作丢人火堆，只留下一段对人生的批注——如果将人生一分为二，前半段的人生哲学是"不犹豫"，后半段的人生哲学是"不后悔"。

犹豫不决和后悔是性格上的弱点，这两种弱点都可以败坏一个人的自信心，也可以破坏他的判断力，并大大有害于他的全部精神能力。

有些人简直优柔寡断到无可救药的地步，他们不敢决定任何事情，不敢担负起应负的责任。之所以这样，是因为他们不知道事情的结果会怎样——究竟是好是坏，是凶是吉。他们常常担心今天对一件事情进行了决断，明天也许会有更好的事情发生，以致对今日的决断发生怀疑。许多优柔寡断的人，不敢相信他们自己能解决重要的事情。因为犹豫不决，很多人使他们自己美好的想法陷于破灭。

犹豫不决、优柔寡断是人们阴险的仇敌；在它还没有得到伤害你、破坏你的力量、限制你一生的机会之前；你就要当机立断把这一敌人置于死地。不要再等待、再犹豫，绝不要等到明天，今天就应该开始。要逼迫自己训练一种遇事果断坚定、迅速决策的能力，对于任何事情切不要犹豫不决。

人生没有回头路，当你认识到做错了事，走错了路，应该做的是及时地改正错误，调整方向，而不是为错误而不断地懊悔。因为过去的已经过去，你再也无法重新设计。而后悔，又只会让你失去现在的机会。牛奶既然已经打翻了，就不要再为它哭泣。

患得患失的人，心就像钟摆一样，左右摇摆，无法做出理性而明智的选择。殊不知，机遇女神在你摇摆之时已纵身逝去。

有"舍"才有"得"

舍得，是说人要学会"舍"才能有所"得"。放不下包袱，就会错过更好的机会。

两个贫苦的樵夫靠着上山捡柴糊口，有一天在山里发现两大包棉花，两人喜出望外，棉花的价格高过柴薪数倍，将这两包棉花卖掉，足可让家人一个月衣食无虑。当下两人各自背了一包棉花，便欲赶路回家。

走着走着，其中一名樵夫眼尖，看到山路上有一大捆布，走近细看，竟是上等的细麻布，足足有十多匹之多。他欣喜之余，和同伴商量，一同放下肩负的棉花，改背麻布回家。

他的同伴却有不同的想法，认为自己背着棉花已走了一大段路，到了这里再丢下棉花，岂不枉费自己先前的辛苦，坚持不愿换麻布。先前发现麻布的樵夫屡劝同伴不听，只得自己竭尽所能地背起麻布，继续前行。

又走了一段路后，背麻布的樵夫望见林中闪闪发光，待近前一看，地上竟然散落着数坛黄金，心想这下真的发财了，赶忙邀同伴放下肩头的麻布及棉花，改用挑柴的扁担来挑黄金。

他的同伴仍是那套不愿丢下棉花以免枉费辛苦的想法，并且怀疑那些黄金不是真的，劝他不要白费力气，免得到头来一场空欢喜。

发现黄金的樵夫只好自己挑了两坛黄金，和背棉花的伙伴赶路回家。走到山下时，无缘无故下了一场大雨，两人在空旷处被淋了个湿透。更不幸的是，背棉花的樵夫肩上的大包棉花，吸饱了雨水，重得完全无法再背得动，那樵夫不得已，只能丢下一路辛苦舍不得放弃的棉花，空着手和挑着黄金的同伴回家去。

面对机会的来临，人们常有许多不同的选择方式。有的人会单纯地接受；有的人抱持怀疑的态度，站在一旁观望；有的人则顽强得如同骡子一样，固执地不肯接受任何新的改变。而不同的选择，当然导致截然迥异的结果。许多成功的契机，起初未必能让每个人都看得到深藏的潜力，而起初抉择的正确与否，往往更决定了成功与失败的分野。

在人生的每一次关键时刻,审慎地运用您的智慧,做最正确的判断,选择属于您的正确方向。同时别忘了随时检查自己选择的角度是否产生偏差,适时地加以调整,千万不能像背棉花的樵夫一般,只凭一套哲学,便欲度过人生所有的阶段。

时刻留意自己所执著的意念,是否与成功的法则相抵触;追求成功,并非意味着您必须全盘放弃自己的执著,而来迁就成功法则。只需您在意念上做出合理的修正,使之切合成功者的经验及建议,即可走上成功的轻松之道。放弃无谓的固执,冷静地用开放的心胸去做正确抉择。每次正确无误的选择将指引您永远走在通往成功的坦途上。

情

商

第五章 社交察觉

第1节　同理心

感受到其它人的情绪，了解别人的观点

一把坚实的大锁挂在大门上，一根铁杆费了九牛二虎之力，还是无法将它撬开。钥匙来了，他瘦小的身子钻进锁孔，只轻轻一转，大锁就"啪"地一声打开了。

铁杆奇怪地问："为什么我费了那么大力气也打不开，而你却轻而易举地就把它打开了呢？"

钥匙说："因为我最了解他的心。"

每个人的心，都像上了锁的大门，任你再粗的铁棒也撬不开。唯有关怀，才能把自己变成一只细腻的钥匙，进入别人的心中，了解别人。

沟通中的同理心

有个英国谚语说："要想知道别人的鞋子合不合脚，穿上别人的鞋子走一英里。"这句谚语讲的就是同理心。

同理心一词源自希腊文 empatheia（神人），原来是美学理论家用以形容理解他人主观经验的能力。现在，我们普遍认为同理心是个心理学概念。它的基本意思是说，你要想真正了解别人，就要学会站在别人的角度来看问题。

沟通中，同理心占据着非常重要的位置。

在学校里，当与同学发生矛盾的时候，同学会说："如果是你，你会不会也和我一样呢？"他在要求你设身处地地为他着想，他是不得已而为之的。这便是同理心。

很多时候，人们总是以自我为中心，很少站在别人的角度考虑问题，因此，生活中总是充满了矛盾。但是站在别人的角度来理解就够了吗？是不是还有更深层面的东西呢？根据这个理念，我们把同理心分为两个层面——表层同理心和深层同理心。

表层的同理心就是站在别人的角度上去理解，了解对方的资讯，

听明白对方在说什么。做到这一点,就达到了表层的同理心。

深层次的同理心是理解对方的感情成分,理解对方隐含的成分,才是真正听懂了对方的"意思",才是深层的同理心。

比方说有这样一句话:

"我"没说她偷了我的钱。(可是有人这么说)

我"没"说她偷了我的钱。(我确实没这么说)

我没"说"她偷了我的钱。(可是我是这么暗示的)

我没说"她"偷了我的钱。(可是有人偷了)

我没说她"偷了"我的钱。(可是她对这钱做了某些事)

我没说她偷了"我"的钱。(她偷了别人的钱)

我没说她偷了我的"钱"。(她偷了别的东西)

从头到尾一字不差的一句话,语气、神态、声调,尤其是重音的位置不一样,意思就完全不同了。能听懂他表面的意思是初级水平,关键的是听懂他说这句话背后可能隐藏的内容。例如"你听得懂吗?"这个句子,如果"懂"没有加强重音,那么只是一般性的询问,如果加强重音说出来就变成了反问,并带有轻视的思想感情。

在某家工厂里,一位班长和一位组长先后训斥一位连续迟到两天的女工。

班长对女工说:"你呀,怎么又迟到了?"班长说这句话的时候,把"你呀"说得又长又响。女工听了班长的话,不但低着头,脸也红了,一副不好意思的表情。

组长也是对女工说同样的话,但他把"怎么又迟到了"说得较响,特别在"又"字上加大了音量。结果,女工反唇相讥:"神气什么,大不了让你扣薪水!"

上述女工不同情绪反应的原因,就在于两个人用同样的一句话表达了不同的意思和情感。班长的话,尽管有批评的意味,但有一种亲切感,从而削弱了对方的抵触情绪;而组长的话,听起来指责意味浓厚,使对方产生了反感,效果自然大不相同。相比之下班长是比较会说话的人,他的话不仅可以达到批评对方,促使其改正的结果,而且也不会伤害对方的自尊心。

在沟通中,只有表层的同理心是远远不够的,我们还要深层的同理心,这样才能真正听懂对方的"意思".很多人都不善於表达自己的思想和观点,通常情况下是让对方懂暗示,让对方"猜",如果不知道通过"感情成分"和"隐含成分"来了解真实的资讯,就会造成沟通的障碍。

感受同理心

小说《啊,索伦谷的枪声》写了这样一个故事:心灵受过创伤的战士刘明天收养了一只受伤的狍子,精心喂养,形影不离。可是,私心较重的连长为了向来连队视察的上级首长"表表心意",竟然命令刘明天杀死他心爱的狍子! 刘明天怒不可遏,大声吼叫起来:"看哪个混蛋敢动狍子一根毫毛! "这时,一向注意研究战士心理的指导员赶来,他对刘明天说:"带着狍子跟我跑一趟,保证不伤害它。"上了山,指导员才交了底:"弄点野味顶替狍子"。

正在指导员埋头找猴头菇的时候,两只狗熊向他扑了过来。指导员与熊展开了殊死搏斗。等刘明天闻声赶到,熊已经断气,可指导员的腿也受了伤。包扎完毕,指导员取出御寒的小瓶白酒对刘明天说:"来,

为熊大哥舍身救狍子干杯! "这时,刘明天两眼湿润,喉头哽咽, 双手捧过酒,一饮而尽……

第二天黎明,一声清脆的枪声从索伦河谷传来,大家闻声向河谷奔去。原来刘明天亲手杀死了他心爱的狍子,要给患腰寒病的指导员扒一张狍皮暖腰。

情商

在人际交往中,把自己摆在对方的位置上,设身处地地体验、理解他人的内心世界,注意形成彼此之间的共同感受,这是增进相互理解、促进相互悦纳的一种有效方法。

要想建立良好的人际关系,就要学会站在他人的立场上,从他人的角度考虑,可以在心里这么想"如果我是他,我会怎么办?"如此一来,你的所作、所为、所说都会在人际交往的过程中起到积极的作用。

在人际交往中,谁能具有良好的心理素质和人格魅力,谁就会拥有良好的人际关系,谁也就有可能成为大赢家。至少,这是一个通向良好的人际关系的桥梁。生活中,我们随处都可体验到这一点。

人与人之间冲突的来源,通常起于对彼此的误解,或是一方态度咄咄逼人,或是一方拉不下脸来,或是情绪过于激动,或是过于执着己见等。其实这都是可以避免的!

同理心就是将心比心,同样时间、地点、事件,而当事人换成自己,也就是设身处地去感受、去体谅他人。

某企业总经理在担任业务部门主管时,有一回发现旗下几位部属因对公司几项新政策不满意,而有集体跳槽自行创业的意思,这位主管于是利用一个私下聚会的时间,与这几位部属闲聊,在确定他们真有全体出走自行当老板的意图后,这位主管便说:"好吧!如果要走,大家一起走,我们现在开始讨论离开后咱们做什么比较好?资金要怎么凑?办公室地点在哪里?"

于是他提出了一连串的问题供部属们思考讨论,有的说开通讯店好了,有说做现在公司做的比较好,就连办公室的地点也有很多不同的意见,结果就在大家七嘴八舌的争论中,整个集体出走计划就没有下文了,因为部属们在讨论中发现,出走实在不是一件容易的事,自己当老板要考虑的事实在太多,真让人心烦!还是乖乖当上班族好了。

就这样,这位聪明的主管巧妙地化解了一场可能导致部门四分五裂的危机,因为如果他一开始就把这些有私动之心的部属指责一番,可能会使部属更加不谅解,集体跳槽的风暴可能提早引爆,但他以同理心的方式协助部属抛去情绪上的激情,实际考虑出走后必须面对的种种问题,在理性思考下,使大家很快打消了辞职的念头。

人与人的关系没有公式可言,只能以关心为出发点,为双方都留下空间,设想他们所想要、所需求的东西,他们能做的事,及他们自己的生活。

也就是说,人与人之间只是关心仍是不够的!还需要爱,爱是对于别人的处境感同身受。

　　有了同理心,我们将不再容易处处挑剔对方,抱怨、责怪、嘲笑、讥讽便也大大减少;取而代之的是赞赏、鼓励、谅解、互相扶持。这样一来,人与人的相处,便变得愉快、和谐。

　　要做到将心比心、设身处地并不是那么容易。真的要好好用心的去实践才行,特别要注意的是:同理心的过程是"将你心换我心",把自己当"当事人",而不单单只是站在对方的角度看事情。

　　在冲突来临前,如果能多用同理心,相信误解将不再容易发生。因为你已经先缓和情绪,减去冲突发生的助燃物之一,而且"一个巴掌拍不响",你不和对方生气,对方也无从和你起冲突,彼此便可寻得和谐沟通的途径了!

　　日常生活中,也要注意同理心的培养。比如说你工作了一天,已经很累了,刚好路上塞车,到家的时候天已经黑了,你的心情格外不好。父亲说:"菜都凉了,你怎么才回来?"你说单位有点事,就这样搪塞了过去。然后就是默默地吃饭,再没有一句多余的话。

　　如果你具备良好的同理心,就不会这么做了。试想,如果你是父亲,你精心准备了饭菜等儿子回来,但是儿子回来对这一切都视而不见,甚至连一句解释的话都没有。你会是怎样的心情?

　　如果你到家,当父亲问你为什么回来晚的时候,你认真地告诉他原因,再说一句:"爸爸您辛苦了,您做的菜真香啊!"家里的气氛一定会活跃起来。

　　其实,不仅和家人交流应该用同理心,和邻居、朋友交流也同样需要同理心。生活中,当你用同理心去和别人交流的时候,你会发现,你绝对是一个处处受欢迎的人。

　　在生活中,要理解别人很难,因为我们总放不下自己,我们总想用自己的经验去帮助别人。别人真的不知道该怎么做吗?真的需要我们的建议吗?未必!我们要相信每个正常的人都有自救的能力,我们所要做的,只是在这个时候站在他身边陪伴他,充分地理解他,进入他的心理世界。只要我们真正做到了开放内心,同理别人,珍爱自己,生活真的就可以变得不同。

　　同理心最初是由美国的临床心理学家罗杰斯针对医患关系中的医生而谈的,现今已扩展到医患关系双方及普通的人群之中了。同理心又译作"移情""同感""共情"等,在与他人交流时体验到对方的内心世界的感受,并能对对方的感情做出恰当的反应。而且,这种共情层次

情
商

越高、感受越准确、越深入时,她不仅能帮助人们更好地理解对方,缓解情绪状态,促进对方的自我理解和双方深入地沟通,自然就能建立起一种积极的人际关系和有助于问题的解决。她还有助于发展人们的爱心、利他、合作等个性品质。

缺乏同理心的人是不能从他人的角度出发去理解他人的,他们常常不能接受别人的观点,却一定要求别人接受他们的观点。对这样的人,人们自然就会"敬而远之"。

心理学家将同理心分为初级同理心和高级同理心。初级同理心的反应是能够理智地理解别人的行为,在与他人接触中不排斥、也不强迫她人接受自己的观点;高级同理心则是指个体不仅可以站在他人的角度考虑问题,还能感受这个事件给她人带来的内心体验,使自己进入对方的内心世界;她所表达的是一种理解、接纳、平等、关爱与尊重。

但是,同理心不同于同情心。同情心是给与对方物质上的帮助及精神上的抚慰,它带有怜悯的成分,所表达的是一种不平等的人际关系。同理心却是充分理解对方,进入对方的精神世界。因为同理心并不等于认同和统一对方的行为和看法,只是表示理解到对方的主观感受和看法。

通常,一个具有同理心的人对周围的一切事物都会产生一种关心和了解的心理趋向。当自己在与他人在认识上出现了分歧时,能够真诚地尊重对方、并容忍这种差异;当自己在与他人在行为上出现磨擦时,能善意地理解对方,并分担由此而产生的各种心理负担。因此,这便会使人感受到这种力量在支撑着他,使他们感觉到无论说什么都会得到宽容和尊重,并由此而增强了自己的自信心、看到了希望,从而获得愉快的心理体验。

如何形成同理心

同理心简单的说就是了解他人的感受,这个能力在各个领域中都扮演很重要的角色,不管是销售、管理、恋爱、育儿、政治活动都无一例外。缺少这个能力可能导致极可怕的后果。

有些人,他对自己或他人的感情同样冷漠,和他交往总是让人觉得难堪。这种人不善于将自己的情感表达出来,我们称之为情感表达障碍,这种障碍也是缺乏同理心造成的后果。

同理心要以自觉为基础,一个人如果不能坦诚地面对自己的情感,他怎么可能越读别人的情感。他人言谈举止间或隐或显的各种音律节奏,如语调的起伏、姿态的变化、别有意涵的沉默、显有所指的轻颤等,他都会一律置若罔闻。这种状态不仅使 EQ 上是一大缺陷,更可说是人性方面的悲哀,因为融洽的关系是人们相互关怀的基础,而融洽的关系又源于敏锐的感受与同理心。

一般人的情感很少直接诉诸语言,多半是以其他方式表达。捕捉他人情感的关键就在判读这些非语言的讯息,如语调、手势、表情等。根据调查,同理心敏感度高的人情感调适力较强、较受欢迎、较外向、较敏感。

哈佛心理学教授罗伯特·罗森索及其学设计了一种称为非语敏感度的同理心测验,以一位女性表达各种情感为主题制作一系列录影带,所表达的情感从厌恶到母爱应有尽有,发生的场合包括因嫉妒而发怒、请求宽恕、表达感谢、诱惑等等。录影带并经过特殊处理,使同一画面每次只出现一种表达的方式。举例来说,有些画面(当然语言已消掉)却除了所有因素,只能看到脸部表情,有些则只能看到身体的动作,如此受测者便必须根据单一感官辨别情感。

人的理智运作是以语言为媒介,情感则是非语言的。当一个的语调、手势等非语讯息与所说的话不一致时,真正透露其情感的是表达方式而非表达内容。情感讯息有 90% 以上都是通过非语言方式传播的。我们多半在无意识中接收这类讯息(如语调中的焦虑或手势中的烦躁),我们不会特别注意讯息的性质,而只是无言地接收,然后做出无言的反应,而这种能力通常也是透过非语言的形式学习的。

那么,同理心是如何形成的,在人成长的什么阶段形成的呢? 下面,就

情商

让我们看看国外的一名专家所做的实验：

一个只有几个月大的孩子，每当他看到别的孩子跌倒的时候，便会哭泣，然后爬到母亲怀里寻求慰藉，似乎那个跌倒的孩子就是自己。

等到他15个月大的时候，他看到别的孩子哭，就会拿出自己的玩具去安慰他，这种方式如果不能奏效的话，他还会更换玩具，知道那个孩子不哭为止。

从这个试验，我们可以得出这样的结论：同理心的形成可溯及婴儿时期。事实上，婴儿自出生日起，听到其他婴儿啼哭便会感到难过，有人认为这是人类同理心表现的最早征兆。

发展心理学家发现，婴儿还未完全明白人我之分时，便能同情别人的痛苦。几个月大的婴儿看到其他孩子啼哭也会跟着哭，仿佛感同身受似的。约周岁时孩子开始明白别人的痛苦是别人的，但仍会感到不知所措。纽约大学的马丁·霍夫曼做过相关研究，他注意过一个两岁大的孩子带他妈妈去安慰一个哭泣的小朋友，而事实上小朋友自己的妈妈就在身旁。其他同龄孩子也表现出同样的困惑，他们会模仿别人的痛苦（可能是为了更了解他人的感受）。譬如说看到其他孩子手受伤时，一个两岁大的孩子可能会把手伸进嘴里，看看自己是否也会痛。或者看到母亲哭泣时，孩子可能会擦拭自己的眼睛，其实他并未流泪。事实上，婴儿最初的同理心就是模仿（motormimicry）。

美国心理卫生学会的玛丽安·瑞耶若与卡洛琳·詹卫斯勒做过一系列相关研究，发现同理心的差异与父母的管教方式很有关系。管教方式如果强调对别人的影响，如看你害妹妹这么难过，而不只是你怎么这么调皮，孩子的同理心会较敏锐。此外，身教也很重要，孩子会观察大人对其他情感的反应方式，从而加以模仿，渐塑造出长大后的反应模式。

婴儿透过不断的情感调和慢慢了解有人愿意分享他的感受，这种感觉约始于八个月大时（这时婴儿开始有人己之别），之后终其一生仍会因应其他亲密关系不断形塑，失调的亲子关系是很糟糕的。母亲刻意对婴儿的行为做过度或过少的反应，结果婴儿立刻表现出惊慌或痛苦的样子。

亲子之间长期缺乏调和，对孩子的情感会造成严重的伤害，例如母亲对孩子的特定情感（快乐、悲伤、对拥抱的渴望等）一直未能做同理心的回应，孩子会渐渐逃避表达或甚至不去感受这些情绪，终而其他的情感也会萎缩消失，特别是这些感受在童年时期即或隐或显被压抑时。

同样的道理,婴儿也会"感染"大人的情绪,研究发现,三个月大的婴儿因母亲情绪沮丧,在游玩时较易表现愤怒与悲伤,与其他正常家庭的小孩相比较,较少表现自发的好奇与兴趣。

如果一个母亲持续对孩子的行为做冷淡反应,这个孩子就会变得较被动。

童年时期缺乏情感调和可能造成一生的情感伤害,而且受害才可能不只是孩子本身。有人研究过极端残酷暴力的犯罪,发现罪犯早年生活有一共同特点,就是他们在童年时期受到过情感上的忽略或者伤害。

情感上遭忽略会使同理心钝化,长期的情感虐待(严酷体罚、威胁、羞辱等)却可能造成相反的后果,可能对周遭人产的情感过度敏感,对预示威胁的讯息有一种近似受过创伤而养成的警觉。童年遭受心理虐待的孩子便常有这样的问题,长大后情感严重起伏不定,有些甚至被诊断为近似边缘型人格失常。

所以,作为父母,在教育孩子的时候,一定要言传身教,注意从同理心的角度去培养孩子,让孩子感受他人的感觉,不是总是以自我为中心。这对孩子长大成人后的各个方面都会有至关重要的影响。

缺乏同理心会产生什么后果

在中国,缺乏同理心导致的悲剧也是多不胜数。

2005 年 6 月 25 日,某名牌大学一名学生将同寝室的室友残忍地杀害了,事发后,人们震惊的同时,也不禁陷入了沉思,到底是什么深仇大恨能让人拿起了凶器呢?

凶手是独生子,出生在一个干部家庭,其父亲在某行政机关供职,母亲在一家事业单位担任中层领导。由于家境富裕,他从小受父母的溺爱,上学后,颐指气使的他不会与同学沟通,平时他与同学争执时必须占上风,否则就大吵大闹、不依不饶。但他很聪明,所以学习成绩在班级里一直名列前茅,正因为他成绩好,家境也优裕,他更受到了老师和父母的娇惯,从而忽略了对他的同理心教育。

后来,他以优异的成绩考入了名牌大学,在和同寝室的人相处的过程中,他依然不改自己飞扬跋扈的性格,每天都不脱鞋踩着下铺同学的床上到自己的床上。晚上睡觉的时候,他总是从上铺向下吐痰,下铺同学的床上总是有他的痰迹。当那位同学告诉他以后不要这样的时候，他却恼怒地对那位同学说："乡巴佬，你根本就不配住在这样的宿舍里。"从此，他和下铺的那位同学产生了矛盾。

但是矛盾激化还是在后来的日子里，因为下铺的那位同学英语比较好，同班的一位女生总向他请教英语上的问题，而这位女生恰恰是凶手一直苦苦追求的女朋友。

后来，凶手终于在无法摆脱对下铺的那位同学的嫉妒下，向他举起了刀……

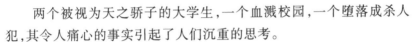

两个被视为天之骄子的大学生，一个血溅校园，一个堕落成杀人犯，其令人痛心的事实引起了人们沉重的思考。

凶手作为一名大学的学子，其智商无可置疑，学识也应该是不错的。但他身上表现出来的品德的卑劣和低下，他的娇纵和疯狂，他对生命的冷酷和漠视，又完全不像具有高智商学识的大学生的素质。学校在录取他的时候，除了考核他的高考分数之外，对他的思想品德是否也做过考核？是的，一个人即使学富五车、才高八斗，但是没有同理心，怎么会成才！云南大学的马加爵事件也充分说明了同理心的重要性。

据说，一些大学现在新生入学考试中也加入了同理心考核的项目，这是对学生和家长以及社会负责的态度，应该得到提倡。

专门研究同理心的专家霍夫曼认为：同理尽是道德的基础，因为促使人们互相帮助的动力就是对弱势者的处境感同身受，小孩甚至仿如自己跌倒似的躲进母亲怀里撒娇。之后小孩开始有弃己之别，会主动拿玩具安慰别的孩子。到约三岁大时，孩子开始了解每个人有自己的情绪，于是对于显露情绪的种种线索较敏感，譬如说他可能为了顾及其他孩子的自尊，在对方哭泣时刻意不去特别注意。

孩子到更长大一些时，同理心的发展更超成熟，渐能了解痛苦不只是表面看到的，而往往源自个人的境遇或更复杂的原因。于是孩子能够同情整个族群的命运，如穷人、被压迫者或社会边缘人。这种同情心可能构成青少年的道德信念，启发减轻世间不幸与不义的力量。

许多道德判断与义举都是源自同理心,如英国哲学家约翰?米尔所说的"移情而生的愤怒",意指"看到别人受伤害时我们也会感到受伤害……在理智与同理交互作用下……自然会产生报复心理。"米尔称之为"正义的守护神"。路见不平拔刀相助是另一个例子,研究显示旁观者对受害者的同理心愈浓,愈可能拔刀相助。

　　美国花式溜冰选手佟亚·哈汀的保镖亚瑞·艾卡特派人去暗算与哈汀角逐 1994 年奥运金牌的对手南西·克瑞根。克瑞根因膝盖被打伤错过重要的训练。后来艾卡特在电视上看到泣不成声的克瑞根,懊悔之情油然而生,向朋友吐露心声,才揭露这件蠢动一时的案子。这就是同理心的表现。

　　那些犯下罪行的人通常都缺乏同理心,这是他们的共同问题。正因为他们对受害者的痛苦视若无睹,才能以种种借口合理化其犯行。这类罪行的发生往往是情感恶性循环和一个环节,使其在犯罪时同理心完全泯灭。

　　在犯罪者眼中,受害者仿佛自身没有任何感觉,他们看不见受害者的挣扎、恐惧、厌恶的反应,否则也就不可能犯罪了。

同理心运用

　　人与人之间的关系没有固定的公式可循,要从关心别人、体谅别人的角度出发,做事时为他人留下空间和余地,发生误会时要替他人着想,主动反省自己的过失,勇于承担责任。只要有了同理心,我们在工作和生活中就能避免许多抱怨、责难、嘲笑和讥讽,大家就可以在一个充满鼓励、谅解、支持和尊重的环境中愉快地工作和生活。

　　在学校里,老师和学生往往会各自站在对立的两个点上。学生会模仿老师走路,说话,并将老师身上的一些习惯性的动作夸大"表演"出来。当人们问到孩子们"为什么你认为某某老师特别好"的时候,学生们会用一两件小事告诉人们,他们的老师怎么在乎他们。其实,作为老师,最重要一点就是要体谅和重视学生的想法,要让学生们觉得老师非常在乎他。

　　微软全球副总裁李开复说:"我在工作中不会盲目地褒奖下属,不会动不动就给职员一些'非常好'、'不错'、'棒极了'等泛泛的评价,但是我会在职员确实做出了成绩的时候及时并具体地指出他对公司的贡献,并将他的业绩公之于众。例如,我会给部门内的全体职员发电子邮件说某个员工在上一周的工作中取得了出色的成绩，并详细说明他的工作成果，列举他的工作对于公司的重要价值，给出具体的表彰意见。这种激励员工的方式能够真正赢得员工的信任和支持，能够对企业的凝聚力产生巨大的影响。"

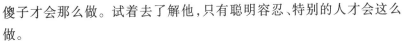

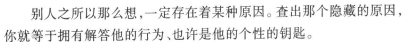

试着去了解别人，从他的观点来看待事情就能创造生活奇迹，使你得到友谊，减少摩擦和困难。

别人也许完全错误，但他并不认为如此。因此，不要责备他，只有傻子才会那么做。试着去了解他，只有聪明容忍、特别的人才会这么做。

别人之所以那么想，一定存在着某种原因。查出那个隐藏的原因，你就等于拥有解答他的行为、也许是他的个性的钥匙。

试着忠实地使自己置身于他的处境。

如果你对自己说："如果我处在他的情况下，我会有什么感觉，有什么反应？"那你就会节省不少时间及苦恼，因为"若对原因发生兴趣，我们就不太会对结果不喜欢。"而且，除此以外，你将可大大增加你在做人处世上的技巧。

卡耐基经常在他家附近的一处公园内散步和骑马，当他看到那些嫩树和灌木，一季又一季地被一些不必要的大火烧毁时，觉得十分伤心。那些火灾并不是疏忽的吸烟者所引起的，它们几乎全是由那些到公园内去享受野外生活、在树下煮蛋或烤热狗的小孩们所引起的。有时候，火势太猛，必须出动消防队来扑灭。

在公园的一个角落里，立着一块告示牌说，任何人在公园内点火，必将受罚或被拘留。但那块牌子立在公园偏僻角落里，很少人看到，因此，火灾继续在每一季节里蔓延。有一次，当他看到孩子们在公园里点火的时候，于是就到那些小孩子面前，警告说："你们没看到那个牌子上写着'不许在公园里点火'吗？否则，你们都要被关到监狱里去！赶快将火扑灭！"听了他的话，孩子服从了，但是非常不甘心。

卡耐基走后，孩子们又将扑灭的火重新点燃起来。

随着年岁的增长，卡耐基对做人处世有更深一层的认识，变得更

为圆滑一点,更懂得从别人的观点来看事情。于是,他不再下命令,他来到那堆火前面,说出了下面的这段话:

"玩得痛快吗? 孩子们,你们晚餐想煮些什么? ……我小时候自己也很喜欢升火—现在还是很喜欢。但你们应该知道,在公园内升火是十分危险的。我知道你们这几位会很小心;但其他人可就不这么小心了。他们来了,看到你们升起了一堆火;因此他们也生了火,而后来回家时却又不把火弄熄,结果火烧到枯叶,蔓延起来,把树木都烧死了。如果我们不多加小心,以后我们这儿连一棵树都没有了。你们升起这堆火,就会被关入监牢内。但我不想太啰嗦,扫了你们的兴。我很高兴看到你们玩得十分痛快;但能不能请你们现在立刻把火堆旁边的枯叶子全部拨开,而在你们离开之前,用泥土,很多的泥土,把火推掩盖起来,你们愿不愿意呢? 下一次,如果你们还想玩火,能不能麻烦你们改到山丘的那一头,就在沙坑里升火? 在那升火,就不会造成任何损害……真谢谢你们,孩子们,祝你们玩得痛快。"

这种说法有了很不同的效果! 使得那些孩子们愿意合作,不勉强,不憎恨。他们并没有被强迫接受命令,使他们保住了面子。他们会觉得舒服一点,我们也会觉得舒服一点,因为我们先考虑到他们的看法,再来处理事情。

当面指责别人,只会造成对方顽强的反抗;而巧妙地暗示对方注意自己的错误,则会受到爱戴。

查乐斯·史考伯有一次经过他的一家钢铁厂,当时是中午。他看到几个工人正在抽烟,而在他们头顶上正好有一大招牌,上面写着"禁止吸烟"。史考伯没有指着那块牌子责问,"你们不识字吗?"他的做法是,他朝那些人走过去,递给每人一根雪茄,说,"诸位,如果你们能到外面去抽这些雪茄,那我真是感激不尽。"工人们立刻知道自己违犯了一项规则,因为他对这件事不说一句话,反而给他们每人一件小礼物,并使他们自觉很重要。

对那些对直接的批评会非常愤怒的人,间接地让他们去面对自己的错误,会有非常神奇的效果。罗得岛温沙克的玛姬·杰各在卡耐基课程中提到,她使一群懒惰的建筑工人,在帮她加盖房子之后把周围清理干净。

最初几天,杰各太太下班回家之后,发现满院子都是锯木屑子。她没有去跟工人们抗议,因为他们工程做得很好。所以等工人走了之后,她与孩子们把这些碎木块捡起来,并整整齐齐的堆放在屋角。次日早

情
商

晨,她把领班叫到旁边说:"我很高兴昨天晚上草地上这么干净,又没有冒犯到邻居。"从那天起,工人每天都把木屑捡起来推好在一边,领班也每天都来,看看草地的状况。

测试:你有与他人共鸣的能力吗?

这个测验关于同理心的测验是看你是否具有正确理解、判断他人的感觉和想法的能力。答对的越多,就表示你在社会生活中是个有正确判断力的高手。

以下的 18 个问题,都是英美两国社会心理学者曾做过的实验,并得出相应的结论。由于参与试验的都是欧美人,其想法与中国人有所不同,所以对于中国人来说,这项测试会有所偏差,但是基本上还是准确的。

注意,每道问题只有一个答案是对的。

1. 一群自愿者参加社会心理学家进行的有关电器治疗效果的实验。实验开始前,他们之中有人感到十分不安,有人比较镇定。实验开始前 10 分钟,那些坐立难安的人会采取什么行动?

    A.希望在实验开始之前到隔壁房间等候。

    B.希望和同样感到不安的人一起等候。

    C.希望和镇定的人一起等候。

    D.既不想自己一个独处,也不想和别人在一起。

2. 美国某个研究团体正在进行一项研究,想知道团体工作时,其中的外来份子对民主化的工作方式和权力主导型的工作方式,哪一种反弹力较大。

    A.对权力主导型的反弹较大。

    B.对民主化的反弹较大。

3. 美国的社会科学工作者研究选举活动期间有选举权者的行动,他们想知道,有选举权者把注意力放在支持政党的宣传上还是他党的宣传上。有选举权者的行动为何?

    A.注意所有政党的宣传。

    B.主要注意他党的宣传。

C.特别注意自己支持的政党的宣传。

4. 第一次碰面就非常讨厌这个人,如果再碰到他会如何?

    A.让关系改善。

    B.本质不变。

    C.更讨厌他。

5. 社会心理学者想知道使人受影响的最有效方法,因此召集一群人举办一场让人有印象的演讲,说明为了提升工作效率,"速读"的重要性。一方面又聚集另一群人,和他们讨论有效率的"速读"带来什么效果。然后社会科学工作者比较结果,看看哪一种方法适合推广速读。

    A.参加演讲的人愿意出席"速读"讲习会,但参加讨论的人较少。

    B.讨论的方式较好,这群人也愿意参加"速读"讲习会。

    C.看不出有何差别。不论是演讲或讨论,都有一定的人数参加"速读"讲习会。

6. 美国某个研究团体,和大学教授、一般民众、罪犯谈话并介绍他们,然后将这完全相同内容的录音带放给不同人听。给听众最大影响的是谁?

    A.大学教授。

    B.一般民众。

    C.罪犯。

7. 某个美国社会心理学家观察一个团体里的成员。团体评价最低的人在打自己擅长的保龄球时,成绩慢慢超过评价较高的人。这时候团体中成员的反应为何?

    A.评价低的人很高兴自己受到肯定,能够稳固在团体中的地位。

    B.评价低者的成功受到批判性的排斥。"反叛者"(评价低者)必须降低保龄球的分数,回到原有工作排名(仍是最后),接受嘲弄、讽刺的折磨。

8. 美国某社会科学工作者想知道心情对观众有多大的影响。他要求被实验者画出正在挖沼泽的年轻人之情景,同时使用催眠术,让被实验者心情不安或感到幸福。在这两种心情的影响下,他们会画出什

情

商

么样的图呢?

A.幸福的心情:幸福的画面。令人联想到夏天,那就是人生;在户外工作;真实的生活——种树,看着树长大。不安的心情,他们会不会受伤? 应该有个知道如何应付灾难场合的老人和他们在一起才对,水究竟有多深呢?

B.心情不会影响作画,能够很客观地描绘。

9. 社会科学工作者想知道熟悉与未知之间,何者能让人感兴趣,因此,让买新车的人和长年开同型车的人大略翻一下杂志。谁会仔细看和自己的车同型的汽车广告?

A.买新车的人之中,看自己新买汽车的广告比看其他厂牌的汽车广告多28%;本来就是有车的人,看现有汽车广告比看其他厂牌的汽车广告只多4%。

B.本来就有车的人,看自己现有汽车的广告比看其他厂牌的汽车广告多28%;买新车的人,看自己新买汽车比看其他厂牌的汽车广告多4%。

C.不论是买新车或早就有车的人,看其他厂牌的汽车广告比看自己拥有汽车的广告多11%。

10. 英国的心理学家以"为什么青少年不能开车"为题,对青少年展开十分钟的演讲,但在演讲前先将青少年分成两组,一组知道题目,另一组什么都不知道。哪一组比较会受到演讲内容的影响。

A.演讲前知道内容的那一组。

B.什么都不知道的那一组。

C.两组都受到强烈影响。

11. 英国社会心理学家让一群人看人的脸部画像。有几张让他们看 20 次以上,其他的只让他们看两次。哪一边会获得善意的评价?

A.比较少看到的脸。

B.观看次数较多的脸。

C.没有差别。

12. 英国的心理学家对儿童进行下列实验。先在房间里布置几个好玩的玩具,再把儿童平分两组。一组让他直接进户甲玩耍;另一组待在可以看到房间内布置的窗口一会儿之后才进房间。哪一组容易把玩具弄坏?

    A.两组都一样。

    B.马上进房间的小孩破坏力较强。

    C.在外面等候的孩子破坏力较强。

13. 美国的心理学家,让愤怒和心平气和的被实验者看拳击比赛的电影和没有攻击镜头的温和性电影。看完之后,谁的反应最激烈?

    A.看拳击电影的愤怒者。

    B.看温馨电影的愤怒者。

    C.看拳击电影的平静者。

    D.看温馨电影的平静者。

14. 请被实验者尝尝某种液体是否有苦味。社会科学工作者已将带有苦味之物质用水稀释,有70%的人说苦,30%的人说没有味道。然后把尝不出味的9个人,和感觉很苦的1个人聚集在一起,请尝出苦味的人说说那种苦的味道。结果,这10个人的感觉会有什么变化?

    A.感觉苦的人,他毫不动摇地肯定,影响了其他人。第二次试饮时,那9个人也觉得有点苦。

    B.9个人并不受影响。

    C.感觉有苦味的人受到其他9个人的影响,第二次试饮时也不觉得苦了。

15. 处于不安状态和未处于不安状态的人,谁会对陌生人感到强烈不安?

    A.两者之间没有差别。

    B.处于不安状态的人。

    C.未处于不安状态的人。

16. 英国的社会心理学者对看《007》电影和歌舞剧的观众,做攻击性倾向的调查。何者会表现较强的攻击性?

    A.看《007》电影之前的观众。

    B.看完《007》电影的观众。

    C.看歌舞剧之前的观众。

情商

D.看完歌舞剧的观众。

E.无法确认攻击性的差别。

17. 美国的社会科学工作者要求初、高中生、大学生、社会人士(均接受同等教育)判断几项陈述是否正确。4周后,再要求他们对相同陈述下判断,但这次却先告诉他们"你的评断和大多数人不同"。这个补充说明会带来什么影响。

A.64%的初、高中生、55%的大学生、40%的社会人士更改他们的意见。

B.64%的社会人士、55%的大学生、40%的初、高中生更改他们的意见。

C.每一组都只有少数人更改意见。

18. 社会科学家想知道在讨论会中,使集体意见一致的人是不发言的沉默者还是参加讨论者。谁较容易受团体意见的影响?

A.沉默不发言者。

B.发表意见者。

C.没有差别。

标准答案如下:B A C B B A B A A B B C B A B B B A B。

答对一道得一分,算算总共答对几题。先找出属于自己的年龄栏,看看自己的社会共鸣能力如何。

14~16 岁	17~21 岁	22~30 岁	31 岁以上	同理心
11~18 分	14~18 分	17~18 分	15~18 分	非常强
10 分	12~13 分	15~16 分	13~14 分	强
8~9 分	10~11 分	11~14 分	9~12 分	普通(尚可)
6~7 分	6~9 分	9~10 分	7~8 分	普通(稍低)
8~5 分	0~5 分	0~8 分	0~6 分	很弱

同理心非常强,说明你的社会共鸣能力十分出色。能站在他人之立场想象当时的情况、当事人的反应。

同理心强,说明你有非常发达的共鸣能力,对社会状况的判断正确,亦能察觉别人欲采取之行动。

同理心普通(尚可),说明社会共鸣能力于平均水准尚可。

同理心普通(偏低),说明你不常为他人设身处地着想,很难正确预见他人的行动。

同理心弱,说明你很少正确判断社会状况,站在他人立场,得知别人将采取之行动的能力稍差。有必要改善你的共鸣能力,多与人往来交际对你会有帮助。

根据你对测验题目的回答，可以使你了解如何增进你的共鸣能力。"真可惜"、"我能了解"、"我也是这么想",这些都是站在对方立场,替他们着想的感触。共鸣能力不是生下来就有的,而是通过教育和生活体验渐渐形成,因此每个人都多少具备一些。

对心理学家来说,社会共鸣能力是他人经验及设身处地感受他人感觉、心情、想法的能力。那么,共鸣能力有什么效用呢?它是连接本身经验知识和对方经验的类推理论,依此可理解人的心理状态与行动,所以通常由自己的经验出发。

以测验第一题为例,探讨有关人不安的举动,有四个选项:

A.希望在实验开始之前能到隔壁房间等候。
B.希望和同样感到不安的人一起等候。
C.希望和镇定的人一起等候。
D.既不想自己一个人独处,也不想和别人在一起。

为了知道他们下一步的行动，就得想象自己也面临相同的情况。推断出因不知道将会发生什么事情而不安;想知道同样感到不安的聊天来减轻自己不安的情绪,因为不安而不想让自己引入注目等理由,这时候最容易实现的就是"共通点"。换句话说,待在一样不知何事会发生而忐忑不安的人中最恰当。因此,希望和同样感到不安的人一起等候,这个答案是正确。置身于他人心理状况时的线索有脸部表情、动作、说话方式、脸红、发抖等表现外在的特征,这是经由本身经验和事故所发出的信号。比如说,看到一个走路慌慌张张、微微颤抖的人,我们可以断定这个人有点神经质又很兴奋。

社会共鸣能力和是否聪明无关。聪明的人能够说一篇有理论根据的合理论述,却未曾注意或根本忽略了自己和对方的感受,使共鸣能力派不上用场。与人交谈时,共鸣能力尤其重要。对方若持相反意见,则要仔细思考为什么对方和你的意见不同,是什么原因让他发表这样

情
商

的意见。

自私的人没有共鸣能力。他们成事不足,败事有余,不愿费心考虑他人的立场,也不想了解和自己不同的看法与情绪,反以攻击性的言词(如"无聊的疯话!")轻视它。与人相处时,社会共鸣能力亦扮演重要角色。多为他人着想即可避免误解和争吵,自私、偏见、懒惰均为共鸣能力之障碍。

情商提高:用同理心去聆听

提高同理心的十项建议

1.重视他人的感情、欲求、愿望。

2.学会耐心听完他人意见,即使你不赞同。听对方说完,问清楚不懂的地方,再下定论。

3.在路上、餐厅、公共汽车上,观察人的表情、动作,推测其心理状态。

4.不能光凭外表来看一个人,更重要的是知道那个人的基本精神态度。这可由交谈中得知。

5.看电视、录像带时关掉声音,想象剧中人物在说什么。一定要先考察剧中人物的情绪。

6.和人讨论事情时,遇到对方意见与自己的完全不同时,要想想个中原因。

7.问问自己为什么在某些状况下有特定反应,难道没有其他反应吗?了解自己的行为背景之后,更容易体谅别人的立场。

8.如果你讨厌一个人,找出你的理由。

9.判断一个人、决定对他采取何种态度之前,多搜集有关这个人的资料。明白他为人处世的道理,就能做更正确的判断,有更合适的对应。

10.不要忘记:人的举动偶尔会受到心情的影响。

吉拉德·黎仁柏在他的《打入别人的心》一书评论说:

"在你表现出你认为别人的观念和感觉与你自己的观念和感觉一样重要的时候,谈话才会有融洽的气氛。在开始谈话的时候,要让对方提出谈话的目的或方向。如果你是听者,你要以你所要听到的是什么来管制你所说的话。如果对方是听者,你接受他的观念将会鼓励他打开心胸来接受你的观念。"

生活中，当我们和人交谈的时候，如果对方总是打断你的话，或者你说话的时候他在做别的事情，那么你一定会觉得恼怒，不愿再和他交谈。那么，换做是你呢？当别人说话的时候，你是否在认真地聆听？

别人也是一个"我"，他们也同样需要这些，所以在人际关系上我们首先要学会专注、聆听和同理心。专注和聆听看似简单，做起来却不容易，因为我们都有倾诉的欲望，都渴望别人聆听。同理心是指放下主观的经验，站在这个人的旁边和他一起感受世界。

一个沟通高手，并不是只会把话说得流畅，能够随心所欲地表达自己所要表达的一丝。而是首先要能专心的听对方说话。有一些人总是喜欢滔滔不绝地说自己的，根本不去管别人是否对他所说的话感兴趣。在对方说话时，他们心不在焉，等到别人刚把话说完，就立刻说起自己的事情来。这种行为是非常不礼貌的。

首先，不论是在讨论事情或者是与对方闲话家常，不要没有礼貌的打断对方，试想你说话的时候，别人插话进来，打断了你的言语，间断你的兴致，那会使你感到非常扫兴！相对的，别人也是一样的！

其次，听对方说话时，专心致志，并真诚的回应对方，使对方感觉受尊重，对方也才会尊重你，倾听你的意见。若是当对方说了一大堆后，却发现你眼神游离，似乎当耳边风时，那会另人多么失望你应该能够想象得出吧？所以要能够专心聆听是非常重要的事，这样在整个对谈过程中，不仅尊重对方，又能够好好的从对方的言谈中吸收知识，等到对方听你说话时，对方才会以同等态度对你。

我们与人谈话时，应该不难发现，大家在谈论自己感兴趣的事时，总是神采奕奕！一种不会孤独，一种觉得可以把所有话都一次倾吐的快感，一种好像知已的对话是每个人都希望的。

同理心的原则也能够用在此方面,你希望愉快地谈话,别人也是。所以若要让对方能够与你畅谈,记得要引发别人的谈话兴趣,也就是要能多谈对方感兴趣的事,让他能够一吐为快,此刻双方也都能够形成一种共识,一种同样的默契。

在与对方谈话时,莫去直接批评对方所感兴趣的事,纵使他是错的,因为他感兴趣的事,他不会因为听你的话而改变想法,反而可能会因为你的批评而造成对你的反感。比如在看一场 NBA 球赛,明明对方很明显的就是公牛迷,而你却又不识相的在他面前大肆批评公牛队,最后可能你们会吵得比场上的比赛还要激烈!相信只要你能与对方有共同的共识,即使你不用说太多的话,只要引发他的兴趣,让对方觉得跟你谈话很愉快,他自然而然就会觉得你真是可以谈心的朋友!

在和别人进行谈话的时候要遵循 10 大原则,这 10 大原则可以让你在与人交往的时候游刃有余,同时,你会发现,受别人欢迎并不是什么太难的事。

1、聆听

聆听不是保持沉默,而是仔细听听对方说了什么、没说什么,以及真正的涵义。聆听也不是指说话或发问;通常我们会急于分享自己的故事,或询问对方问题,以为这样就是聆听该有的姿态。然而,所谓的聆听,应该是用我们的眼、耳和心去听对方的声音,同时不急着立刻知道事情的前因后果。我们必须愿意把自己的"内在对话"暂抛一边。所谓的"内在对话",是指聆听的同时,在脑海中不自觉进行的对话,包括动脑筋想着该说什么、如何回应对方的话,或盘算着接下来的话题。

2、停顿

在对话之间,有时说,有时听;当听到自己心里响起"我不懂……"的声音时,就是该暂时停顿一下问对方:"我是否错过了什么情节?"我们还必须提醒自己,放慢不自觉产生的机械式反应,例如,想快速解决对方的不安,因而没有正面思考问题,便直接跳到采取行动的阶段——说些或做些我们认为对对方有益的事。

从容不迫地停顿与思考,可让我们停止下判断、停止反应,并且产生好奇心。如此,有助于在重要的刹那间,发挥同理心,如果没有做这样的停顿,我们可能会在刹那间,说出稍后会反悔的话。停顿就像开车时,变换排挡时所需使用的离合器:先减速到某种程度,扣上齿轮之后,才能进行加速。安慰的艺术,在于"在适当的时机,说适当的话",以及"不在一时冲动下,说出不该说的话"。

3、当朋友不当英雄

帮助别人度过艰难岁月,不等同于将他们从痛苦的处境中"拯救"出来。人们有权利和责任,去承受他们行为的后果,和其所带来的困境。我们应该认同他们的痛苦,让他们去感觉痛苦,并且不试着快速驱散痛苦。我们仅试着提供让他们越过"恐惧之河"的桥梁。

当朋友、家人陷于情绪或身体的痛苦之中时,支持他们的最基本方法是:允许他们发露。面对哭泣的人,人们最自然的反应,即是希望对方停止哭泣,并跟他说:"别哭了,事情一定可以安然解决的!"其实这并不是最适当的反应。当对方啜泣或掉眼泪时我们通常会对自己的无助而感到坐立难安。然而,哭泣是人体尝试将情绪毒素排出体外的一种方式,而掉眼泪是疗伤的一种过程。所以,请别急着拿面纸给对方,只要让他知道你支持他的心意。

4、给予安慰

给予安慰并不是告诉别人:"你应该觉得……"或是"你不应该觉得……"。人们有权利保有其真正的感觉。安慰是指:不要对他们下判断,不要心想他们正在受苦、需要接受帮忙;安慰是指:给予他们空间去做自己、并认同自己的感觉。我们不需要透过"同意或反对"他们的选择或处理困境的方法,来表达关心。

5、感同身受

当我们忙着试图帮助他人时,可能会忘记人们会察觉到我们内心的波动——没有说出来的想法和感觉。尽管人们无法确知我们的想法,但通常可以察觉到我们是否惊慌、对他们下判断,或是为他们感到难过。面对面安慰别人,和我们内心真正的状态,有很大的关联。因为对他们的遭遇感同身受,我们不仅分担对方的痛苦,也需忍受自己内心的煎熬。不论面临的处境如何,善意的现身与安慰,即是给予对方的一项礼物。

6、长期守候

改变会带来混乱。没有人可以迅速整顿那样的混乱。人们需要时间去调适、检讨、改变和询问:"假如······,会怎样?"的问题。在"疗效对话"中,我们学着接受以下事实:我们的家庭成员、同事或邻居,有时候仅需要我们当他们的"共鸣箱",且能不厌其烦地供其反复使用。

7、勇敢挺身而出

不论身处任何状况,对自己不知该说什么而感到困窘,是无妨的;让我们想帮助的人知道我们的感觉,也是无妨的。甚至可以老实地说:

"我不知道你的感觉,也不知道自己该说什么,但是我真的很关心你。"即使自己对这样的表达觉得可笑,还是可以让对方知道,你不急着"现在"和他交谈。你或者可以选择用书写的方式,来表达感觉和想法。除了言语的表达之外,"疗效对话"尚有不同的形式。

8、提供实用资源

不需帮别人找到所有问题的答案,但可以尽力提供可用资源——别的朋友、专家、朋友的朋友,来帮忙他们找到答案。可以为对方打几通电话,连结人脉;也可以找相关的书籍给他们阅读或是干脆提供一个躲避的空间,让他们得以平静地寻找自己的答案。

9、设身处地、主动帮忙

当我们问:"有没有我可以帮忙的地方?"有时候有答案,有时候他们也不知道需要什么样的帮忙。然而,人们有时会对自己真正的需要开不了口。设身处地去考量人们可能需要的协助,是有效助人的第一步。

10、善用同理心

即使我们遭遇过类似的经验,也无法百分之百了解别人的感受,但是我们可以善用同理心去关怀对方。切记需先耐心听完别人的故事,再考虑有没有必要分享自己的故事?而分享的结果是否对对方有益?

人际关系,影响着我们每分每秒,也伴随着我们一生一世。能有好的人际关系是何等的珍贵,说来也许简单,但常常遇到状况时,我们又不能够处理得很好,所以学好人际关系是很大的一门学问,因为他是随时都在发生的,只要你与人接触。

学会换位思考

在人多的场合,婴儿总是会哭,很多人并不知道这是为什么。其实原因很简单。只要你蹲下来,从婴儿的位置来看世界。你会发现,婴儿没有办法看到别人的脸,只能看到大家的腿。

为什么父母子女之间会产生代沟,老师与学生之间交流有困难,夫妻之间产生问题,人与人之间无法真正交心呢?就是因为这个世界是成人的、理性的、冷静的、逻辑的、自我的,不符合这类标准就会受到冷落、打击及制止,这就是的根本原因之所在。

下面,我们就看一下《中学生致大人们的一封信》吧:

■不要总是霸占着音响，将跟不上时代的歌曲一遍又一遍地放。

■不要总是说我们是"小兔崽子"，因为从遗传学的角度来说，这对家长是不利的。

■不要总逼我们上那该死的补习课、艺术课（除非我们自愿），毕竟，我们是有思想的人。

■不要告诫我们："多和好学生接触……"拜托，不要以那该死的分数来衡量别的孩子的好坏。

■不要看到我们和异性在一起，就以为是"早恋"，不要把你们大人的"八卦"带到我们的世界。

■不要总按照你们的思想来"包装"我们，时代不同了，我们的着装也不同了，别再逼着我们穿那难看的红毛衣了。

■不要对我说："自己的事情自己干。"那么，为什么每次买烟都要我去买，我又不抽烟。

■不要总说吃糖对牙不好，您看，抽烟也危害健康呀，可每次好心提醒您，您却反说我："小孩子别管！"那我吃糖，能不能对您也说："大人别管"呢？

作为父母，看了这封信有何感想？是不是觉得自己真的应该站在孩子的角度考虑问题了呢？

换位思考在人际沟通上是非常重要的，因为不了解对方的立场、感受及想法，我们无法正确地思考与回应。换位思考到底是什么呢？其实就是"理解"别人的想法、感受，从对方的立场来看事情。它需要一点好奇心，但是不幸的是，许多人的换位思考却缺少了这一个要素。他们或是站在自己的位置上去"猜想"别人的想法及感受，或是站在"一般人"的立场上去想别人"应该"有什么想法和感受。

很多时候，我们都会为别人着想，但是，别人并不喜欢你为他所做的一切，甚至还会感到厌烦。当事情的后果不如我们所想象或期待时，

情

商

我们也多半觉得委屈,"好心没好报"。那么,是别人真的不明白我们呢?还是其他?仔细地分析分析,我们会发现,这种换位思考并不是真的换位思考,而是以本位主义来了解别人的想法及感受,这并非真正地为别人着想,因为它忽略了"对方"真正的想法及感受。这种做法缺乏了尊重,尊重别人的责任,尊重别人的能力,尊重别人的自主权。所谓的"好心办坏事"就是这种。

换位思考并不难,难的是你不会放下自己的主观判断,只有真正地了解对方的心理,才能真正做到"换位思考",也就能够采取正确的方式做正确的事。

换位思考是可以经过训练得到的。

1、空椅子训练

很多人都喜欢以自我为中心,因此,总是不能得到好人缘。那么,你可以试试"空椅子"这种训练方法。这种方法比较简单,但是,它可以让你充分体验冲突所在,有助于理解他人心理,理智地分析问题。

找两把椅子,面对面放着,自己坐一个,然后假想对面坐的是自己的父母、朋友等对象,你和他们闹矛盾了,那么就把你的理由讲给他们听。说完之后,站起来,坐到对面的椅子上,想想假设你是他会有什么感觉,会怎么想,会怎么做等,并模仿对方的心态与语言替他辩护,这种方法简单却很有用,可以帮助我们走出自我中心而体验、理解他人。等你熟悉之后,就可以完全不用椅子了,在脑子中设定这样的场景就可以了。

2、宽容心态训练

每个人都会犯错误,这是毋庸置疑的,这个世界上没有一个十全十美的人。

当你挑剔别人的时候,有没有想到自己身上存在怎样的问题?如果想到了,你就知道怎样原谅别人了。你要提醒自己:"未必如此。"因为我们对别人的判断,往往只是根据表面现象,不一定准确。我们自以为发现了别人的虚伪、欺骗等缺点,而事实未必如此。这样可以避免误会别人,你的行为也将更宽容。

你要学会经常对自己说:"人难免会……"这样,你就可能接受别人不完美这样的事实,用一颗宽容的心去容纳更广阔的天空。

3、"独角戏"训练

一个人的戏称为独角戏。心理学认为,借助外部模仿可以体验内心的感受,外部模仿越多,内心体验越深。

在做这种训练的时候,你要首先确定自己的角色。比如说,公司职员和公司领导发生了矛盾,那么你可以扮演这名公司职员,把内心的感受说出来。

然后,转换一下角色,再扮演一下公司领导,同样,把领导的感受说出来。这样你就既可以体会到职员的心理,又能体会到领导的心理。你会发现,其实有很多地方都是存在误解的,只是因为大家都没有把心理想说的话说出来,才造成了这种矛盾。

经过这种训练,以后,当你在公司里和别人发生矛盾的时候,你就知道如何应对了。

第2节 团体意识

解读团体中的趋势、决策网络及政治运作

团体有其自己的运行方式和规则,加入一个团体,尤其是一个以民主方式,而不是独裁方式运作的团体,必须了解团体运行的规律,使自己融入这个团体,成为团体的一员。这就需要学会调控自己的情绪,配合伙伴的节奏,保持团体的步调。当然,如果你是独裁团体中的那个独裁者,一切就另当别论了。

合唱队中的乌鸦

林中百鸟在排练一个大合唱,
大合唱声调悠扬、气势雄壮!
穿黑衣裳的八哥儿担任指挥,
高嗓门的百灵鸟儿担任领唱。
鹦鹉、画眉、布谷、燕子、
黄莺、夜莺、白鹭、鸳鸯,
乌鸦、喜鹊、鹁鸪、麻雀……
全都来参加这个大型合唱!
八哥儿手里拿着闪光的指挥棒,

神气地站在高高的指挥台上。
它把指挥棒潇洒地一挥，
合唱队便开始了嘹亮的歌唱！
百灵鸟儿领唱的歌声清脆婉转，
高声部的伴唱声似金铃般悠扬！
低声部浑厚深沉如轰鸣的海涛，
作为听众的林中百兽无不击节赞赏！
突然间，低声部出现一个不和谐音，
这声音是这般刺耳、这般不祥！
原来是乌鸦不按规定的音符发声，
而且是扯开嗓子拼命地高声嘶嚷……
八哥儿用指挥棒做了个"停"的姿势，
整个合唱队便戛然停止了歌唱。
八哥儿声色俱厉地向乌鸦提出批评：
"你为什么不按照规定的音符歌唱？"
乌鸦却并不以为自己有什么错误，
甚至扬起脖子觉得自己理直气壮：
"我的歌声本来也相当高亢嘹亮，
为什么让我在低声部压制我的所长？
如果我按照规定的音符歌唱，
谁还能听得到多少我歌唱的声响？
那岂不就埋没了我出色的才华，
我这位歌唱家还怎能美名远扬？"
八哥儿说：
"合唱队本是个完美的整体，
谁高声谁低声均已是安排妥当。
如果为了突出自己便可为所欲为，
那还成什么体统，有什么规章？"
乌鸦还是扬着脖子表示不服：
"那就干脆让我到高声部中去唱！"
乌鸦蛮横的态度引起了大家的愤怒，
齐声地批评它无理取闹、太不像样……
不讲理的乌鸦一赌气退出了合唱队，
一边向远处飞去一边还在不满地嘟囔……

合唱队中没有了它那刺耳的噪音，
变得格外和谐动听，格外美妙悠扬！

马克思曾说："社会是人与人之间关系的总和。"每个人都不可能是一座孤岛。我们只有将自己的才华和团体的需要紧密结合，才能在和谐的气氛中不断激发自己。

任何组织、任何团队都好比一个合唱队，乌鸦的自以为是导致了整个合唱队的不和谐，当然这种不和谐最终以它的离开而告终。

这则寓言故事讲出了团队精神的重要性。团队发展是以互助合作为前提的，一个人的作用只有在最适合他的位置上才能得到最大的发挥。大多数时候，一个成员对自己能力的评估与组织在特定的成长阶段对成员的要求有很大的区别，这是一种客观存在的尴尬，我们应该学会及时调整自己的心态，使自己适应环境而非环境适应你。然而，在实际生活中，更普遍的问题是，成员个人的自我感觉往往与他人评价有很大的出入。

情商

这里的乌鸦就是这种类型的。合作最忌讳的是自以为是，而"乌鸦"们的最大"特点"就是自以为是，总是自我感觉良好，觉得大材小用，虎落平阳被犬欺。故事中乌鸦的下场让我们懂得，有自知之明是团队合作的宝贵精神，身处团队中时，不要盲目骄傲，也不必过于锋芒毕露。需要明确的是，集体发展是个人发展的基础，一个人只有融入团队之中，才能最好的发挥自己的才华。

晓得失，知进退

战国时代的弥子瑕以无与伦比的谦恭和知书达理著称，并因此得到了魏国国王的宠爱。

一天，弥子瑕的母亲生病，情急之下，他伪称大王给予了特许令，便乘着国王的马车回家探望母亲了。而当时魏国法律规定，不经国王同意，偷驾国王的马车就要被砍断双足。

魏王知道了此事，不但没有怪罪他，还说："弥子瑕多么孝顺啊！为了母亲，他宁愿犯断足之罪。"

又有一天，国王和他在果园里漫步，弥子瑕摘下一颗桃子，吃到一半，竟然把剩下的桃子给魏王吃。魏王感叹道："你的心中真的是时时都有我啊！自己先尝尝桃子的味道好不好，才给我吃！"

朝臣们看到国王如此宠爱弥子瑕，都对他嫉妒不已。他们纷纷传言弥子瑕依仗国王的宠爱而目空一切，为非作歹。国王在谗言中逐渐改变了对他的看法，重新审视弥子瑕以前的种种行为："这家伙曾经假冒我的命令乘我的马车！甚至给我他吃剩下的桃子！"从此，国王不再宠爱弥子瑕了。

同样的行为在受宠时曾经令皇帝龙心大悦，现在却被视之为罪过。因此，千万不要以为自己的地位是理所当然、一成不变的，也千万不要被任何荣誉冲昏了头脑。

16世纪末期的日本盛行茶道，贵族阶层尤其喜好。千利体以独特的茶道获得了丰臣秀吉的宠爱。千利体非常有谋略，在皇宫里有自己固定的居所，人民也非常敬重他。但是，没过几年，丰臣秀吉就逮捕了他，并判处他死刑。

人们一直对丰臣秀吉这样做迷惑不已，为什么千利体的命运改变得这样快呢？原来是因为千利体为自己制作了一座穿着木屐、仪态傲慢的木头雕像，并将这座雕像放置在宫内最重要的寺院里，让过往的王族都能看清楚。千利体本是平民，因为茶道高超才受到宠爱，而在当时只有贵族才可以穿木屐。千利体做事没有分寸，以为自己和最上层的贵族享有同样的权力，而忘记了自己本身的地位。

许多受宠的下属自以为深受上司喜爱，地位稳固，便为所欲为，最终往往失去宠爱。

越王勾践平定吴国以后，引兵北上，与齐国、晋国会盟徐州，并且得到周平王的封赏，一时号称霸王。

范蠡虽然是越国的上将军，辅佐越王勾践前后20余年，对勾践的雪耻复国屡建奇功，越国百姓对他又十分崇敬，可是他仍然心事重重。一天，大夫文种问他："眼下越国威震天下，号称霸王，你我官至上卿，功名盖世，为何闷闷不乐？"

"你哪里知道！"范蠡苦笑着说，"俗语道'飞鸟尽，良弓藏；狡兔死，走狗烹'。勾践这个人是长颈鸟喙，只可与他共患难，不能与他共安乐。大名之下，难于久居！我已决定离开勾践，你也该想想出路……"

"恐怕你是庸人自扰吧？哈哈哈……"大夫文种对范蠡的忧虑毫不在意，说笑了一阵走开了。

第二天，范蠡给越王勾践送上一份辞呈，说："臣闻主忧臣劳，主辱臣死。昔者君王受辱于会稽，臣所以不死，为的是复仇雪耻。今日君王已经达到目的，臣请君王赐死……"

勾践读罢辞呈，气恼地说："难道范蠡不相信寡人？我打算将越国分一半给他，他若是真生疑心，我真要加诛于他！"

范蠡心知勾践对自己并非真心实意，早晚要加罪于他。于是偷偷带上宝物珠玉，与心腹亲信乘船从海路逃走了。

范蠡在齐国海边落脚之后，改名换姓，自称鸱夷子皮，耕种滩涂，劳身苦作，治理产业。几年工夫就成了当地的首富。齐国大夫听说他的贤名和才能，派人请他去做齐国的相国，可是他谢绝了。范蠡喟然长叹道："居家则致千金，居官则至卿相，此乃布衣之极也。久受尊名不祥。"

范蠡不去当相国，深知不便在此处久居，于是，他又把家财分给知友、乡亲，只带些值钱的珠宝，迁移到陶地，自称为陶朱公。不久，他又成为当地的富豪，家资巨万，远近闻名。自从范蠡不辞而别以后，大夫文种很觉孤单，又见勾践日夜享乐，不像从前那样敬重自己，有点心灰意懒，常常称病不朝。于是有人向勾践进谗言说："大夫文种自恃有功，倨傲不朝，背地里勾结私党，企图叛乱。"

越王勾践把一把宝剑赐给文种，命令道："你教寡人七种计谋征服吴国，寡人只用了其中三种就打败了吴国。还有四种计谋留在你那儿，我命令你去替我死去的先王谋划吧。"

大夫文种悔恨地说："这都怪我不听范蠡的劝告啊。"言毕，愤然自尽了。

范蠡深知"飞鸟尽，良弓藏；狡兔死，走狗烹"的道理，所以，功成身退，保住了自己的性命，这正是范蠡在做人处事上高人一等的谋略。而

情
商

大夫文种不听范蠡的劝告,贪恋权位,对越王勾践的残忍和胸怀认识不足,结局是饮剑身亡。历史上,类似范蠡和文种的事例还有许多,但范、文二人的经历及其命运是最有代表性的。因此,急流勇退,并不失英雄本色。

大凡能成就伟业者,无不是深请进退规则之人,他们能够洞悉别人的意图,审视自己的处境,从而进退自如,将胜券牢牢握于掌心。

坚持原则

团体中有一些成员间约定俗成或是达成协议的原则,坚持原则,不是自我的情绪凌驾于团体之上,是一个人高情商的基本表现。

美国前总统乔治·布什是个原则性很强的人,他坚持"一就是一,二就是二"的原则。他认为空军1号就是空军1号,空军2号就是空军2号。"只有总统才能在南草坪上着陆"。

那是1981年春天,当时身为副总统的布什正在一次飞往外地的例行公务旅行的飞机"空军2号"上。突然布什接到国务卿黑格从华盛顿打来的电话:"出事了,请你尽快返回华盛顿。"几分钟后的一封密电中告知总统里根遇刺中弹,正在华盛顿大学医院的手术室里接受紧急抢救,飞机调头飞向首都华盛顿。

飞机在安德鲁斯空军基地着陆前45分钟,布什的空军副官约翰·马西尼中校来到前舱为结束整个行程做准备。飞机缓缓下滑时,马西尼突然想出了个主意,他说:"如果按常规在安德鲁斯降落后,再换乘海军陆战队一架直升机,飞抵副总统住所附近的停机坪着陆,再驾车驶往白宫,要浪费许多宝贵时间。不如直接飞往白宫。"

布什考虑了一下,决定放弃这个紧急到达的计划,仍按常规行事。

"我们到达时,市区交通正处高峰时期,"马西尼提醒道,"街道上的交通很拥挤,坐车到白宫要多花10到15分钟的时间。"

"也许是这样,但是我们必须这样做。"

马西尼点点头:"是的,先生。"说着走向舱门。

看到马西尼中校显得疑惑不解,布什解释道:"约翰中校,只有总统才能在南草坪上着陆。"

布什坚持着这条原则:美国只能有一个总统,副总统不是总统。布什认为:总统与副总统之间建立在相互信任基础上的相互尊重,是成就一个成功的副总统的最重要的条件。

讲求原则是做人做事的一大要素,没有原则性的人,常常会做出一些越位的事情。史蒂文森说过:"为原则斗争容易,为原则而活着难。"人们总是在一些关键时刻找出种种理由放弃原则性。所以,在关键的时刻是否能够坚持原则,常常是判断一个人办事情商的重要依据。生活的常识告诉我们,惟有那些肯坚持原则的人,才能赢得上司的信任和下属的支持。而身为副总统的乔治·布什尽管面对危急时刻依然选择按原则行事的做法,为我们提供了良好的榜样。

　　"没有规矩,不成方圆"。"规矩"即是我们要遵从的原则,失去原则性,便失去了行事的内在标准。

测试:你的自主性如何

　　依赖还是独立是衡量一个人个性心理特征的一对重要标尺,依赖性强的人则处处附和众议,甚至为了取得别人的好感放弃个人的主见。独立性强的人自己做出判断,独立完成自己的工作,但是稍有不慎就会触犯团体的规则;而下面一组测试,可帮助你了解你的内心,不妨一试。

1. **在工作中,你愿意——**
   A.和别人合作。
   B.不确定。
   C.自己单独进行。

2. **在接受困难任务时,你总是——**
   A.有独立完成的信心。
   B.不确定。
   C.希望有别人的帮助和指导。

3. **你希望把你的家庭设计成——**
   A.拥有其自身活动和娱乐的自己世界。'
   B.介于 A、C 之间。
   C.邻里朋友交往活动的一部分。

4. **你解决问题,多借助于——**
   A.个人独立思考。
   B.介于 A、C 之间。
   C.和别人展开讨论。

情

商

5. 你青春年少时,和异性朋友的交往——

　A.较多。

　B.介于 A、C 之间。

　C.比别人少。

6. 在社团活动中你是一个活跃分子。

　A.是的。

　B.介于 A、C 之间。

　C.不是的。

7. 当人们指责你古怪不正常时,你——

　A.非常气恼。

　B.有些生气。

　C.无所谓。

8. 到一个新城市找地址,你一般是——

　A.向人问路。

　B.介于 A、C 之间。

　C.自己看市区地图。

9. 在工作中,你喜欢独自筹划而不愿受人干涉。

　A.是的。

　B.介于 A、C 之间。

　C.不是的。

10. 你的学习多依赖于——

　A.阅读书刊。

　B.介于 A、C 之间。

　C.参加集体讨论。

通过计分表确定你每题的得分,再加起来。

	A	B	C		A	B	C
1	0	1	2	6	0	1	2
2	2	1	0	7	0	1	2
3	2	1	0	8	0	1	2
4	2	1	0	9	2	1	0
5	0	1	2	10	2	1	0

总分在 10 分以下,说明你依赖,随群、附和。通常愿意与别人共同

工作,而不愿独自做事。常常放弃个人主见,附和众议,以取得别人的好感。因为你需要团体的支持以维持自信心,你不是真正的合群者。应多培养一些自己的自主性。

总分在 11~14 分之间,你能够在一般性的问题上自作主张,并能够独立完成,但是某些高难度的问题常常拿不定主意,需要他人的帮助。

总分 15~20 分,你自立自强,当机立断。通常能够自作主张,独立完成工作计划,不依赖别人,也不受社会舆论的约束。同时,不愿意控制和支配别人,不嫌弃人,但也无需别人的好感。虽然你的自主性强,但是也要随时注意团体的规则。

情商提高:学做团队人

在密密麻麻的招聘信息中搜索,三不五时你就会看见这般的声明,而且似乎公司愈大,愈国际化,就愈是强调 TEAM WORK(团队能力、团队精神)的重要性。这倒不只是因为这个名称叫起来很时髦,事实上,根据哈佛大学心理系教授高曼博士(Daniel Goleman)的分析,团队技巧正是对于你我的成功有着深远的影响。

那么,你觉得自己是个团队人吗?怎么做,才能展现出高情商的团队技巧呢?

首先,你必须愿意接受并遵守团队决定。

作为一个团队人的首要特质,就是相信团队所做出的决议有其优点及必要性。也许你不是完全满意每一次的团队决议,甚至有时还可能觉得自身的权益受损,但是优质的团队人深知,在团体中并不是每一次都能找到完美的解决方案。

因此若要发挥团队的整体力量,一旦做出决议后,每个人就该放弃个人的主观想法告诉自己"已经尽力,别太在意",因而接受并且确实遵守大伙儿的共识。万一仍有不同观点,也应该在下一次团体讨论中提出,试着说服大家使之成为新的共识,而不是消极抵制或我行我素,这么做只会让你形象扣分,并可能变成日后事情搞杂时最好的罪魁祸首。

在实际行动中要主动表达高度合作意愿。合作,是团队运作的基础。所以身为优质团队的你,必定有着高度与人合作的诚意,即使有些时候,自己一个人做事似乎远比跟大伙儿一起做来得有效率,但为了

团体长远的利益,你仍会极乐意地跟大家分享专业知识:"这是我对这件事的想法……"并耐心询问每个人是否有其它的看法:"不知道各位有没有更好的点子?"

一个好的团队人之所以能受到大家的喜欢,是因为他能够重视其它成员的利益。换句话说,他有能力了解并重视每个人的想法及感受。在这方面,一个很漂亮的做法可以是,在讨论中提出自己的建议后,主动问问大家:"我这个想法是否会对任何人造成不便呢?"或是:"不晓得我这个建议如何能放进你原先的构想中?"

团队动力是需要相互激发的,因此请别忘了对团队中其它成员的杰出表现,给予真诚大方的赞美,肯定其它成员的成就。不过在这里想提醒你的是,"大方"是"不吝啬"的意思,并不是"夸大"的同义词,千万别用力过了头,开始谄媚奉承起来。

例如没事就对着同事大喊:"你真是个少见的天才!"而对方只不过顺手帮你找到一些信息罢了。此时比较合宜的肯定,也许是:"谢谢你这么体贴,记得帮我找这些资料。"适当的称赞,才会发挥真正的激励效果。

在团体中一不小心,就很可能会因为相互的批评,而扼杀了好不容易建立起来的革命情感。所以在提出不同意见时,应当发挥超高情商的技巧,给予对方建设性的批评。

实际的做法,则是要批评对方的做法,而不是对方本身,也就是所谓的"对事不对人"。因此"你忘了把报告中这两项资料互调了"换个说法会更好:"这两项资料在报告中的顺序颠倒了!"

此外,与其直接的指出对方的错误,有一个更好的技巧可以在此派上用场,那就是提问法。举例而言,你可以微笑地这么说:"如果把这两项资料顺序互调,你觉得效果会不会有所不同?"

这样一来,对方就有机会把这个建议,变为自己的决定,而不只是听命行事了:"我想互调后应该更顺畅些,我这就去改。"另外别忘了,不论你多会给善意的批评,请别忘了永远要做个"赞美比批评多"的团

第五章 社交察觉

队人。

真正的团队人绝对不是光说不练的意见发表者,而是剑及履及的实际行动者,能够主动承担问题解决的责任。有问题,大家坐下来讨论该如何处理,一旦有了结论,优质的团队人就会衡量状况,主动承担责任。这个做法的重点在"主动"二个字,在别人未开口要求前,率先表达乐于做苦工的意愿,就是团队精神淋漓尽致的完美呈现。

在工作进行当中,别忘了关心一下其它成员的工作状况,如果有任何帮得上忙的地方,赶快主动地表示你愿意出力相助,并且说到做到。人人都喜欢乐于助人的同事,更何况在一个团体中,帮助小组成员成功,就是等于帮助自己成功,何乐而不为呢?

要成为一个团队人其实不难,只要多用份心,你就是工作团队中最耀眼的那一颗明星。

情

商

第六章　人际关系管理

第1节 影响力

能说服他人接受自己的想法

在现实世界中,很少人能够做到事事亲历亲为,尤其是希望做大事的人,更不能离开与他人的合作。那么如何才能让他人真诚的与你合作呢?除了现实的利益基础,还要高出色的影响力和高超的说服力,让别人同意你的看法,或者按照你的计划去行事。

说服艺术的典范:触龙言说赵太后

中国传统社会中有"文死谏"的说法,就是说忠臣为了说服皇帝,不惜付出生命的代价。但是这所谓的正统宣传蒙蔽、误导了一代代有志于报国的人。如果历史能够倒退,能让历史上的那些所谓的刚正不阿的死谏之臣在学习儒家经典之余,学习一些关于情商的知识,他们也许就不会有身首异处的悲剧,我们的历史进程也会加快了。战国时期"触龙说赵太后"的故事就是一例绝好的高情商者成功影响他人的典范之作。

当时赵国危在旦夕,求救于齐国。但齐国出兵的条件是赵太后把赵长安君送去做人质。当时的赵国上下都知道应该把长安君送往齐国做人质。可就是没想到,赵太后又怎么能把自己深爱的儿子送去当人质呢?这岂不是等于说赵太后毫无母爱之心了?因此,大臣们的进谏除了遭到唾骂外,什么也没有得到,赵国依然濒临亡国。这时候,改变历史命运的触龙出场了。而他之所以能改变历史就是因为他能够有效的影响他人。

下面我们就共同欣赏触龙是如何说服赵太后接受自己的想法,拯救了赵国,进而改变历史的:

触龙一路小碎步觐见太后,说:"老臣我的腿不灵便,很久没有来拜望太后了,又担心太后的身体有什么不舒服,所以还是希望能见到

情商

太后。"

太后说："老婆子我只能靠人推车来往了。"

触龙又问："饭量减少了吗？"

"只是喝粥而已。"

在这里，触龙首先让太后感受到了被人关心。要知道，当时谁见了太后都是劝她把长安君送去做人质。现在听到有人这样问候她，不可能不动情的。这大概也是触龙经过移情换位思考后，明白了太后当时的处境，因此才如此开场。于是太后不悦之色稍退去了些。接着触龙又以自己行将人土为理由，为其小儿子谋求宫廷侍卫的职位。这下让太后觉得，原来你也爱自己的小儿子。他们因而有了共同的心理基础，为下面的顺利展开谈话奠定了基础。

太后笑着说："大丈夫也知道疼爱自己的儿子。"

"那当然。比妇人还疼爱呢！"

"男人怎么比得上妇人呢。"

这看是在争执，实质是太后已完全敞开了心扉的信号。触龙可以采取下一步行动了。

接着触龙说："我觉得您爱你的女儿燕后胜过爱您的儿子长安君。"

太后说："你错了。我爱燕后远不如爱长安君。"

在不知不觉中让太后进人了谈话的主题。既然你是如此爱长安君，那下面的话你就不可能不听了，是该滔滔不绝的时候了。

触龙说："父母疼爱自己的女儿，就应为他们做长远考虑。您当初送燕后出嫁时，抓住她的脚后跟直掉眼泪，想到她嫁那么远的燕国，心情十分悲伤。燕后离去后，您不是不想她，但祭祀时祷告说：'千万别让人送回来！'这难道不是为她做长远考虑，希望她的子孙能在燕国相继为王吗？"

既给你讲大道理，同时又不忘对你表示赞赏：其实你本来就能为子女做长远考虑,你真了不起。谁能拒绝这种"润物细无声"的赞扬呢?同时,发问的方式使双方互动,而避免了说教的形式。

　　太后说:"是的。"

　　触龙又道:"从现在上推到三代以前,赵王的子孙被封侯的,还有没有继承人在位的?"

　　太后回答说:"没有了。"

　　触龙说:"这就是说,近的,灾祸殃及自身;远的就殃及子孙了。难道是说君王那些封侯的儿子都不成材?只是因为他们地位尊贵而没有军功,俸禄丰厚而又没有劳苦,又享有国家的许多宝器。如今,您提高长安君的地位,封给他良田美地,又赐给他很多宝器,却不让他趁现在为国家立功,一旦您不在世上了,长安君靠什么在赵国立足呢?"

　　字字都是肺腑之言,忠心可表日月。试想,如果触龙没有高情商,他的忠心能表日月吗?也许他也只能被太后吐一脸口水,或者被杀头,成为死谏之臣。

情

商

　　最后,太后醒悟道:"随你去安排吧。"于是,长安君到齐国作为人质,齐国出兵,秦军撤退了。

　　这真是令人叹服的说服他人的经典之作。光有尊重和认可别人,关心别人,并不一定能让别人懂得你在尊重和认可他、关心他。只有进行了思考后的尊重、认可和关心,才能够让人领情,进而你才有可能影响别人,达到自我的目的。

　　"触龙言说赵太后"这个故事出自《战国策》一书,这本书可以说是中国古代有关说服他人智慧的一本百科全书,读读这本书,你可以得到很多启示。

润物细无声

　　人都是有自我保护的本能的,说服别人,就不能让别人感到你是一个威胁。如果让别人觉得,你总是在给予他,他离不开你,那么你可以猜想,自己和对方的关系是不可能密切的,因为对方没有了自己的尊严,没有了安全感,惟有高情商才能使自己改变这种局面,之所以说这需要高情商,是因为:被别人说不行,本来就不舒服,更何况自己表现得不行,让别人说不行。这不是聪明就能这样做的,必须是具有高情商的人才做得到。最明显的例子就是朱可夫、华西里耶夫斯基和斯大林三人间的故事。

在整个二次大战期间,斯大林在军事上最倚重的人有两个,一个是军事天才朱可夫,一个则是苏军大本营的总参谋长华西里耶夫斯基。

斯大林在晚年"惟我独尊"的个性使他不允许有人比他高明,更难以接受下属的不同意见。一度提出正确建议的朱可夫曾被斯大林一怒之下赶出了大本营。

但有一人例外,他就是华西里耶夫斯基,他往往能使斯大林不知不觉中采纳他正确的作战计划,从而发挥着杰出的作用。华西里耶夫斯基的进言妙招之一,便是潜移默化地在休息中施加影响。

在斯大林的办公室里,华西里耶夫斯基喜欢同斯大林谈天说地地"闲聊",并且往往还会"不经意"地"随便"说说军事问题,既非郑重其事地大谈特谈,也不是讲得头头是道。由于受了启发,等华西里耶夫斯基走后,斯大林往往会想到一个好计划。过不多久,斯大林就会在军事会议上宣布这一计划。

华西里耶夫斯基在和斯大林交谈时有时会有意识地犯一些错误,给斯大林充分的机会去纠正错误,表现其英明,然后把自己最有价值的想法含混地讲给斯大林,由斯大林形成完整的战略计划公开"发表"。斯大林的许多重要决策就是这样产生的。

华西里耶夫斯基的成功,就是靠那种与领导之间的随意交流,逐步启发、诱导着斯大林,使自己的种种想法得以实现,以至于连斯大林本人也认为这些好主意是他自己想出来的。同时,也使自己成为斯大林不可或缺的"宠幸"之人,发挥着巨大的甚至是无可替代的影响力。其手段不可谓不高。华西里耶夫斯基想干的事情,全都通过斯大林做成了,同时又保全了自己,继续做自己想做的事。

情绪的感染力是影响力的基础

就像上面的故事所讲的，只有通过情绪感染了对方，才能有效的影响对方。这种效果要比单纯凭借理性的征服要强得多。

情绪的感染力是无处不在的，有时你会做一个主动的感染源，有时又会在不经意间成了某种情绪的被动感染者。也许在被感染的当时你并未察觉，等到你的情绪已经发生变化时，才觉察到情绪已经在不知不觉间发生了不可思议的转变。

激情如火的演唱会上，活力四射的歌手们把台下观众的情绪调动得同样兴奋，他们的歌声和舞姿扣人心弦，最重要的是他们的情绪让观众们不由自主地随之跃动；而观众在看一些缠绵悱恻、凄惨无比的电视剧时，又会被剧中人物演绎的悲情所打动，随着剧中人喜而喜，剧中人悲而悲，这些都是情绪感染的力量。

在每一次与人交往过程中，我们都在不断地传递着情感信息，影响着周围的人，同时也在不断接受他人的情感信息。在多数的情况下，这种交流与感染比较间接与隐秘，不为大多数人所察觉，但这种感染作用确实存在。人们都喜欢与热情大方开朗的人接近，从他们身上可以感受到勃勃向上的生命的力量，难道他们从不曾忧郁、悲伤与痛苦吗？当然不是，他们所掌握的不过是懂得如何将情绪在合适的时间和合适的地方投射到他人身上。这种情绪的收放自如是情商的一部分。

平时情绪犹如一股暗流，生生不息，不绝如缕。除非是在情绪大爆发时期，会像决堤的洪水，汹涌而来。往往情绪的交流会细微到几乎无法察觉，却又无时不在地左右你的思想和行为。早晨某人的一句话可能使你整个上午都处于一种不安、心神不宁的情绪状态中，也许你认为早已把那事儿给忘了，但它却影响了你一整天的工作效率。

把热情倾注在你的工作或学习中，会使一切面目一新，许多研究与事实表明热情是影响人生成就的一大原因。同样，热情也是影响人际关系的重要因素。研究表明，热情的人在与人交往中往往更为积极主动，更勇于承担责任，更易于给予他人以关怀和帮助，因而更受人欢迎。这种源于个人自身的内部推动力正是情商。当一个人满怀热情，与人交往时，会把更多的注意力投注于交往对象上以及双方的情感互动与交流上，使两人之间的情绪同步协调，而热情者往往是主动者、控制者。

在情绪互动的过程中，高情商者往往是情绪的主导者，即由他把情绪传导给周围的人。

一位领导者是否成功、胜任的一个重要标志，是他是否能鼓舞员工的士气，使他们居于一种比较积极、兴奋的情绪状态中，从而产生更好的工作绩效。

表达情绪信息，使他人顺应你的情绪步调，一般有两种形式：语言的和非语言。语言本身就含有丰富的情感信息，如何组织安排语言、运用什么样的词汇与人交谈，既是一项智商，也是一项情商。成功地运用鼓励、安慰、赞美的人，必定拥有一份成功的人际关系。除此之外，人的非言语表现也能调节情绪的协调程度，一个面带迷人微笑、充满自信和热情的人，随时随地都受欢迎。

人际关系的一个基本定理就是情绪的相互感染，这是影响力的一个重要体现。人们在交往中，彼此传输和捕捉相互的情绪信息，并汇聚成心灵世界的潜流，通过这股潜流的涌动来感染影响对方的情绪。对这种情绪控制的能力越高，社交中的影响力就会越大。

人们在交往时，情绪传递的方向总是从表达能力较强的一方指向相对较被动的一方。某些人特别容易受到情绪的感染，也就极易动容。

善于顺应他人情绪或使他人情绪顺应你的步调，必然能够提升影响力，并建立良好的人际关系。成功的领导者或者富有感染力的演讲家都具有这一特征，能用这种方式调动千万人的激情或眼泪。

越战初期，一队美国士兵在一处稻田与越军激战，这时，突然出现了六个和尚，他们排成一列走过田埂，毫不理会猛烈的炮火，十分镇定地一步步穿过战场。

当时的指挥官大卫·布西在回忆那段往事时说："这群和尚目不斜视地笔直走过去，奇怪的是竟然没有人向他们射击。他们走过去以后，我突然觉得毫无战斗情绪，至少那一天是如此。其他人一定也有同样的感觉，因为大家不约而同停了下来，就这样休兵一天。"

这些和尚的处变不惊，在激战正酣时竟浇熄了士兵的战火，这正显示人际关系的一个基本定理:情绪会互相感染。

　　这当然是个极端的例子,一般的憎爱分明没有这么直接,而是隐藏在人际接触的默默交流中。在每次接触中彼此的情绪争相交流感染,仿佛一股不绝如缕的心灵暗流,当然并不是每次交流都很愉快。这种交流往往细微到几乎无法察觉,譬如说,同样一句"谢谢",可能给你愤怒、被忽略、真正受欢迎、真诚感谢等不同的感受。情感的感染是如此无所不在,简直让人叹为观止。

　　在每一次人际接触时,人们都在不断传递情感的信息,并以此信息影响对方。社交技巧愈高明的人愈能自如地掌握这种信息。社交礼仪其实就是在预防情感的不当泄露破坏人际关系和谐,但将这种礼仪运用在亲情关系上,必然让人感到窒息。

　　情感的收放正是情商的一部分,比较受欢迎或个性迷人的人,通常便是因为情感收放自如,让人乐于与之为伍。善于安抚他人情绪的人更握有丰富的社交资源,其他人陷入情感转变机制,只是有时变好有时变坏。

　　情绪的感染通常是很难察觉的,专家做过一个简单的实验,请两个实验者写出当时的心情,然后请他们相对静坐等候研究人员到来。

　　两分钟后,研究人员来了,请他们再写出自己的心情。注意这两个实验者是经过特别挑选的,一个极善于表达情感,一个则是喜怒不形于色。实验结果,后者的情绪总是会受前者感染,每一次都是如此。这种神奇的传递是如何发生的?

　　人们会在无意识中模仿他人的情感表现,诸如表情、手势、语调及其他非语言的形式,从而在心中重塑对方的情绪。这有点像导演所倡导的表演逼真法,要演员回忆产生某种强烈情感时的表情动作,以便重新唤起同样的情感。

　　日常生活的情感模拟是很难察觉的,研究者发现,人们看到一张微笑的脸时,会感染同样的情绪,这可以从脸部肌肉的细微改变得到证明,但这种改变须通过电子仪器侦测,肉眼是看不出来的。

　　情绪的传递通常都是由表情丰富的一方传递给较不丰富的一方,也有些人特别易于受感染,那是因为他们的自主神经系统非常敏感,因此特别容易动容,看到煽情的影片动辄掉泪,和愉快的人小谈片刻便会受到感染,这种人通常也较易产生同情心。

　　俄亥俄州大学社会心理生理学家约翰·卡西波在这方面有相当深入的研究。他指出,看到别人表达情感就会引发自己产生相同的情绪,尽管你并不自觉在模仿对方的表情。这种情绪的鼓动、传递与协调，无时无刻不在进行，人际关系互动的顺利与否，便取决于这种情绪的协调。观察两个人谈话时身体动作的协调程度，可了解其情感的和谐度。诸如适时地点头表示赞同，或两人同时改变坐姿，或是一方向另一方倾斜，甚至可能是两个人以同样的节奏摇动椅子。

动作的协调有利于情绪的传送，即使是负面的情绪也不例外。有人做过下面的实验：请心情沮丧的女人携同男友到实验室讨论两人的情感问题，结果发现，两人的非语言信息一致，讨论完后男友的情绪很糟，显然他已感染了女友的沮丧。

师生之间也有类似的情形，研究显示，上课时师生的动作愈协调，彼此之间觉得愈融洽、愉快而兴趣高昂。

一般而言，动作的高度协调表示互动的双方彼此喜欢。从事上述实验的心理学家法兰克·柏尼瑞说："你与某人相处觉得是否自在，其实与生理反应有关，动作协调才会觉得自在。"简而言之，情绪的协调是建立人际关系的基础，这与前面所说的亲子情感的调和并无不同。人际关系的好坏与情感协调能力很有关系。如果你善于顺应他人的情绪或使别人顺应你的步调，人际关系互动必然较顺畅。

成功的领导者或表演者，能够使千万人随着他的情绪共舞，拙于传递或接收情绪信息的人，在人际关系互动上总是滞碍难行，因为别人与其相处感到极不自在，虽然他们可能说不出任何理由。人际互动中决定情感步调的人，自然居于主导地位，对方的情感状态将受其摆布。譬如说，对跳舞中的两个人而言，音乐便是他们的生物时钟。在人际关系互动上，情感的主导地位通常属于较善于表达或较有权力的人。通常是主导者比较多话，另一人时常观察主导者的表情。

高明的演说家、政治家或传道者，极擅长带动观众的情绪，夸张地说，就是调控对方的情绪于股掌之间，这正是影响力的本质。

测试：你有影响力吗?

有些人身上会产生一种威严，他们讲话时会有人倾听，他们想要什么就会得到，而且不会带来任何质问。这来自于他们的影响力。

下面这则心理测验测定你的影响力。如果你是个权威人士，你的举止就会有意无意地促使人们重视并遵从你的意见。有权威的人不一定就是著名人物，他们可能是一些高级官员的顾问，可以进出政府大楼;他们也可能是市场上的推销员,生意从来没有失败过。有权威的人的资本就是一种气质和举止,能使人们倾向他们并按照他们的意图去做。他们好像生来就具有影响他人的能力。

迅速而诚实地回答以下问题,你将会了解你的权威,并使你领会影响力,更有效地运用影响力。

1. 你在某一运动、活动或知识领域中是否是一位专家?
 A.是。
 B.否。

2. 你是否觉得自己很有教养?
 A.是。
 B.一般。

3. 假如你经营一家运动器材商店,一位顾客走进店来,要买一艘独木舟和一根棒球棍,你将先卖哪一样?
 A.先卖棒球棍,因为它便宜,如果你要别人买东西,最好把自己置于购买者的情绪中。
 B.先卖独木舟,因为它贵,生意做成了,收入也大。

4. 你是否觉得你能应付许多场合?
 A.是。
 B.某些场合可以。
 C.否。

5. 你的身高——
 A.170 cm 以下。
 B.170 cm~180 cm。
 C.180 cm~190 cm。
 D.190 cm 以上。

6. 你更乐于接受下列哪种陈述?
 A.我对语法没有把握。
 B.我的口才很好。

情
商

7. 你认为下面的陈述是"对"还是"错"："你要在生活中取得成功，并不需要别人喜欢你,重要的是他们敬畏你。"

    A.对。

    B.错。

8. 如果,客观地评价、不必太谦虚或自负,那么你对自己魅力的评价怎样?

    A.非常出众。

    B.出众。

    C.一般。

    D.差。

    E.很差。

9. 通常你喜欢哪种款式的衣服?

    A.奇装异服,使人看一眼不能忘。

    B.时髦的。我不领导潮流,但也不是守旧的人。

    C.传统服装。·

    D.欧洲款式。

    E.非常随便,不喜欢穿套服。

    F.凑凑合合。

    G.便宜的服装。

10. 你是否在意别人如何看待你?

    A.是,非常在意。

    B.有一些。

    C.有点儿。

    D.很少。

    E.一点也不。

11. 你喜欢电视节目里的喜剧情节吗?

    A.是。

    B.有一些。

    C.不喜欢。

12. 有人说:只要目的正当,可以不择手段。你认为如何:

　　A.同意。

　　B.在某些场合是对的。

　　C.不同意。

13. 你更乐于接受以下哪种陈述?

　　A.生活中言行一致是很重要的。

　　B.言行一致不必过分强调。

14. 你对以下陈述抱什么态度:"如果你给别人一些东西,他们并不感激你,他们只欣赏那些经过奋斗而得之不易的东西。"

　　A.同意。

　　B.不同意。

15. 你发现赞扬别人是件容易的事还是困难的事?

　　A.我很自然地赞扬别人。

　　B.我很少这样做。

16. 当你要和别人讨价还价时,如买卖汽车或加薪,你会使用以下哪种策略?

　　A.我的开价大大高于我所希望得到的。

　　B.我开价高于我所希望的15%左右,这样买卖双方都有余地。

　　C.我不喜欢讨价还价,我更愿意立即告诉人们怎样才公平,省略讲价过程。

17. 下面几种说法你更倾向于哪一种?

　　A.当权者不必多解释,只要说:"去做这件事!"

　　B.当权者要某人做某事时,要告诉他这样做的理由。

依下列评分标准,将你的答案分数加起来,就是你的总分。最高85分,最低17分。

1. A—5　B—1

2. A—5　B—2　C—1

3. A—1　B—5

4. A—5　B—3　C—1

5. A—1　B—3　C—5　D—2

6. A—1　B—5

7. A—1　B—5

8. A—3　B—5　C—3　D—2　E—1

9. A—1　B—4　C—5　D—3　E—3　F—2　G—1

10.A—1　B—2　C—3　D—4　E—5

11.A—1　B—2　C—5

12.A—5　B—4　C—1

13.A—1　B—5

14.A—5　B—l

15.A—5　B—1

16.A—5　B—3　C—l

17.A—1　B—5

如果你的总分在 73~85 分,你确实是一位具有影响力的人,你综合了身体特征、心理性格和政治态度,使人们遵从你,不管你是否在意,你是理所当然的权威人士。

如果你的总分在 59~72 分,你颇具权威人士的气质,也许你在这方面的天性并不完全像权威人士,但你可能在你的专业方面有特殊的影响力。当你来到一个不舒适或不熟悉的环境时,你的影响力会下降。

总分 40~58 分,你所具有的影响力比你意识到的更多,有许多人被你的言行所影响。事实上,你不是那种花费时间和总统、部长们共进午餐的人,而是属于像老板那样被下属尊重的人。

总分 31~40 分,你可能不具有很大的影响力,这就要求你做得更好。也许你喜欢保持一种低微的形象,或成为其他人施加影响力的对象。如果你想成为有影响力的人,你将会有所发现。比较是很重要的,如果你想叫某个东西看上去很漂亮,那么就该用丑的作参照;如果你想叫别人觉得这件东西很便宜,那么就先拿出价格昂贵的东西。去称赞别人,为他们做一点好事,不必担心自己的友好行为得不到回报。正如那些有影响力的人所知道的,人们不仅注意那些看上去很友好的人,而且会竭尽全力回报他们所得到的哪怕是最小的恩典。

总分 17~30 分,你最终是个被人支配的人。别人要你做什么你就做什么。当你走进店门的时候,售货员的眼睛亮了,他们知道,如果他们试着把整个商店卖给你,你也会买下。如果你是这样,那么,你首先要学会的应该是如何说"不"。

情商提高:如何感动别人

无论你想在哪个方面感动别人,都要尽量显露自己的真实情感,这是非常重要的。

在日常生活中遇到意想不到的好人或好意,往往带给人意外之喜。这种情形之下,心中常常只有"感动"二字。所以,为了在对方脑海中留下深刻的印象,一些意想不到的行动是具有很强的效果的。

一位画家在自己的作品面前手舞足蹈,激动不已,而别人却无动于衷,这是何故?

只让自己感动的东西是孤芳自赏,自己感动并不代表能感动别人。

唱歌、玩魔术、写作等等都存在一个能否感动别人的问题。有些歌唱演员只顾卖弄技巧,自以为很动听,其实不然。相反一些业余歌手,虽然缺乏演唱技巧,但却唱得很感人。

那么,这里的秘诀在哪里呢?主要是是否抓住了观众和听众的心。具体说来就是所唱的歌是否为听众所写,是不是写出了听众的心声;唱歌的演员是否心中想着我要为听众卖力地演唱,听众是上帝,没有他们就没有我的现在,我不能随便敷衍或糊弄。如果你心中装着听众,你一定会受到欢迎。

下面是拿破仑·希尔讲述的一位老妇人的故事:

有一天,有位老妇人来到我的办公室,送进来她的名片,并且传话说,她一定要见到我本人。我几位秘书虽然多方试探,却无法诱使她透露出她这次访问的目的及性质。因此,我认为,她一定是位可怜的老妇人,想要向我推销一本书。同时,我想起了母亲,也是一位女人,于是我

情商

决定到接待室去，买下她所推销的书，不管是什么书，我都决定买下来。

当我走出我的私人办公室，踏上走道时，这位老妇人——她站在通往会客室的栏杆外面，脸上开始露出了微笑。

我已经见过许多人的微笑，但从未见过有人笑得像这位老妇人这般甜蜜。这是那种具有感染力的微笑，因此我受到她的精神影响，自己也开始微笑起来。

当我来到栏杆前时，这位老妇人伸出手来和我握手。一般来说，对于初次到我办公室访问的人，我一向不会对他太友善，因为如果我对他表现得太友善，当他要求我从事我所不愿做的事情时，我将很难加以拒绝。

不过，这位亲切的老妇人看起来如此甜蜜、纯真而无害，因此，我也伸出手去。她开始握住我的手，到这时候我才发现，她不仅有迷人的笑容，而且还有一种神奇的握手方式。她很用力地握住我的手，但握得并不太紧。

她的这种握手方式向我的头脑传达了这项信息：她能和我握手，令她觉得十分荣幸。

在我的公共服务生涯中，我曾经和数个人握过手，但我不记得有什么人像这个老妇人这般精通握手的艺术。当她的手一碰到我的手时，我可以感觉到我自己"失败"了。我知道，不管她这次是要什么，她一定会得到，而且我还会尽量帮助她达成这项目标。

换句话说，那个深入人心的微笑，以及那个温暖的握手，已经解除了我的武装，使我成为一个心甘情愿的"受害者"。

一个看起来如此平凡的妇人，怎么会有如此强烈的感染力？我对此颇为好奇。老妇人的回答很简单："我把每一个顾客都看成自己的家人或者孩子，这样心底自然友爱。"

读了这一则故事，你悟出一点什么没有？感动对方，影响对方的情绪，从而建立良好的关系，进而影响对方的想法，也是人际情商的内容之一。

卡耐基有一本著作叫《感动人》。他讲了感动人的四个原则。

1. 对方无论对错，都有其理由，因此要尊重对方。古人说："小偷也有三分理由。"谅解对方，会使人感动。

2. 让对方感到他是重要的。每个人都喜欢受人注目,也希望别人能称道自己的长处。他不过是一个一般的职员,你在介绍他时却说他是单位的业务骨干,他一定会很受感动。

3. 投其所好,特别是雪中送炭,会令人感动。

4. 发自内心的感情。无论你想在哪个方面感动别人,都要尽量显露自己的真实情感,这是非常重要的。

如果你成功地感动了他人,对方的本能防线就会完全崩溃,这时你就可以尽你的所能,最大限度的施加你的影响了。

第2节 引发改变

创造力,能激发新的做法

情

商

你应该相信一件事,当越来越多的人认为不可行的时候,就是必须改变的时候。因为,绝大多数人并没有预见未来,他们只相信目前看到的,并始终相信:现行的做事方式已经是最棒的。这些人不知道,人的潜力很多是被后天的环境限定死的。我们知道很多的游戏规则是我们自己定的,结果这些规则反而丧失了我们的创造力。由此,做任何事没有规则不行,但过于因循守旧、墨守成规也不行。适当之时,要善于改变众人所遵循的规则。

一切的成就与财富都源于创意

大约100年前的一天,一个年老的乡下医生驾着马车到一个小镇,把马拴住,一声不响地从后门溜进一家药房,和药房一位年轻的药剂师做一桩生意。

在药品柜台后面,这位老医生和药剂师交谈了足足一个多钟头。然后,年轻人跟着医生走向马车,带回来一个老式的铜壶、一片木制的船桨状的大木板(用来搅动壶里的东西),并把它放在商店的后面。

年轻人检查那只老铜壶后,手伸入贴身的袋里,取了一卷钞票交给老医生。这卷钞票是年轻人全部的积蓄——500美元。而老医生交给年轻人一片写着秘密工艺的小纸片。

铜壶里面有一种可以令人生津解渴的饮品，而它的制造方法就写在老医生交给年轻人的那一张纸上面。这方法是老医生的创意——他那想象力的产品。

年轻人对老医生的创意有极大的信心，知道它可以成为受人欢迎的饮品，于是他倾一生的积蓄，将这创意买下来。

没多久，年轻的药剂师运用他的想象力，将一种秘密成分加进这古老铜壶内的饮品里。他这一创意，令铜壶里的饮品甘美无比，难以模仿。因为老医生与年轻药剂师的想象力，因为他们的创意，使这个古老铜壶就像阿拉丁神灯一般，有无法估计的金子流出，历经100年而不衰。

这个铜壶里面的饮品，经过年轻药剂师的秘密处方，便成为一种著名的饮料，它就是你一定喝过不知多少瓶的可口可乐。

你可能不知道美国国徽是什么模样，但你不可能不知道可口可乐是什么味道。

前面提到的那个愿意将一生积蓄去买下一个创意的年轻人名叫爱撒·肯特拉。由于他是药剂师，他将一种秘密成分加入老医生约翰·彭布顿的处方，使那铜壶的液体，成为畅销全球、老少皆宜的饮品。这个"老铜壶"，在过去的100年里，替它的发明人与不知上百万的人带来源源不断的巨大财富：

它是蔗糖的最大消耗者之一，使从事甘蔗生产、提炼和销售的人有大量的就业机会。无论是瓶装和罐装，它都替工厂与工人带来不断的工作机会。它提供了全世界不知多少的店员、打字员、速递员、经理人就业的机会。它替电台、电视台、电影院、广告公司带来惊人的收入。因为替它做广告，许多演员、歌星成为举世瞩目的人物，而它自己本身，就成为了国际上的最佳"解渴"广告。

这一切辉煌的成就不仅缘于肯特拉的聪明才智，更是由于他不拘于小小成就，能够发掘自己发明物的广大前途，把全部可能化为现实。

有一家效益相当好的大公司，决定进一步扩大经营规模，高薪聘请营销人员，广告一打出来，报名者云集。面对众多应聘者，公司招聘负责人说："相马不如赛马。为了能选拔出高素质的营销人员，我们出一道实践性的试题：就是想办法把梳子尽量多地卖给和尚。"

绝大多数应聘者感到困惑不解，甚至愤怒：出家人剃度为僧，要梳子有什么用处？岂不是神经错乱，拿人开涮？没过一会儿，应聘者纷纷拂袖而去，几乎散尽，最后只剩下三个应聘者：A、B、C。

负责人对他们三人交代："以 10 日为限，届时请各位将销售成果报告给我。"

10 日期到。负责人问 A："卖出去多少？"

答："一把。"

"怎么卖的？"

A 讲述了历尽辛苦，以及受到众和尚的责骂的委屈，好在下山途中遇到一个小和尚一边晒太阳，一边使劲挠着又脏又厚的头皮。A 灵机一动，赶忙递上了梳子，小和尚用后满心欢喜，于是买下一把。

负责人又问 B："卖出去多少？"

答："10 把。"·

"怎么卖的？"

B 说他去了一座名山古寺，由于山高风大，进香者的头发都被吹乱了。B 找到了寺院住持说："蓬头垢面是对佛的不敬，应在每座庙的香案上放把梳子，供善男信女梳理鬓发。住持采纳了 B 的建议，那山共有 10 座庙，于是买下 10 把梳子。

负责人又问 C："卖出去多少？"

答："1000 把。"

负责人惊问："怎么卖的？"

C 说他到一个久负盛名香火极为旺盛的深山宝刹，朝圣者如云，施主络绎不绝。C 对住持说："凡来进香朝拜者，多有一颗虔诚之心，宝刹应有所回赠，以做纪念，保佑其平安吉祥，鼓励其多做善事。我有一批梳子，您的书法超群，可先刻上'积善梳'三个字，然后便可成为赠品。"住持大喜，立即买下 1000 把梳子，并请 C 小住几天，共同出席了首次赠送"积善梳"的仪式。得到"积善梳"的施主与香客，很是高兴，一传十，十传百，朝圣者更多，香火也更旺了。这还不算完，好戏还在后头。住持希望 C 再多卖一些不同档次的梳子，以便分层次赠给各种类型的施主与香客。

就这样，C 在看来没有梳子市场的地方开创出了很有潜力的市场。

故事中应聘者 A 和 B 面对"把梳子卖给和尚"这一难题，没有想出新的招数，结果难以尽如人意。而应聘者 C 却凭着逆向思维卖出了 1000 把梳子。面对同一种事物，不同的人看到不同的机会，这需要敏锐的洞察力和独特的思维方式。

有一个故事讲到，两位销售员登上海岛，他们发现海岛相当封闭，岛上的人衣着简朴，几乎全是赤脚，只有那些在礁石上采拾海贝的人为了避免礁石硌脚，才在脚上绑上海草。甲销售员看到这种状况，心里凉了半截，他想，这里的人没有穿鞋的习惯，怎么可能建立鞋的市场？向不穿鞋的人销售鞋，不等于向盲人销售画册，向聋子销售收音机吗？他二话没说，立即乘船离开了海岛，返回了公司。他在写给公司的报告上说："那里没人穿鞋，根本不可能建立起鞋市场。"与甲销售员的态度恰恰相反，乙销售员看到这种状况，心花怒放，他觉得这里是极好的市场，因为没有人穿鞋，所以鞋的销售潜力一定很大。于是凭着自己的才干，开拓了巨大的市场。甲、乙销售员的故事和上述故事内容相差无几，带给我们许多启示。看似不可能完成的任务，通过巧妙的角度切入，会有意想不到的收获。

创造需要有一个良好的、有利于产生创造的心境，这在创造学中叫做创造心境。营造创造心境，是高情商的一个重要标志。

创造心境是进入创造角色时的一种自我心理体验，是一种主客观交融的和谐美，是一种生气勃勃的、积极进取的精神状态。

创造心境包括动机的产生和创造的需要。创造冲动是由于对创造活动的向往而产生的一股跃跃欲试、不可遏制的激情。但它是一个短暂的过程，这种激情只有转化为创造心境，创造才能持续下去，才可能实现创造的目的。长期处于创造心境中有利于创造活动，而具有长期维持创造心境的能力，是情感智力高的一种表现。因为维持创造心境，需要不断地克服包括焦虑、畏惧等在内的负面情绪。

情感智力不仅能营造一种良好的创造心境，而且它还能为科学家提供一种和谐的人际环境，甚至直接为创造提供具体的条件需要。现代社会中，社会交往在许多研究中的作用也越来越重要。创造也变得更具合作性，这在自然科学研究方面表现得尤为明显。

很多科学成果的产生过程表明，往往是一人提供一个前提条

件,另一人提供另一个前提条件,最后,第三个人再从这两个前提中得出结论。显然,高情感智商包括妥善处理人际关系的能力,在以合作作为创造的重要条件时,具有更大的优势。也就是说,一个具有创造性的人,在获得其他具有创造性的人的帮助时,他更容易获得成功。因为,他会与其他人,甚至是竞争对手相得益彰。研究表明,能与其他科学创造者合作的科学家,比那些孤立的人有更长的创造生涯和更多的创造成果。

穷则变,变则通

在两次世界大战期间,几乎没有人比阿伯特·戴维森的谋生方式更奇异了。这话得从他拒绝向乞丐施舍一个硬币说起。

一天,一个流浪汉向他乞讨:"赏个小钱吧,先生。"

当时的戴维森是个演员,已经"休息"了很长时间。因此他没好气地说:"别纠缠我,我也是身无分文。"

在乞丐转身走开时,戴维森发现他失去了左臂,但是脸色红润,衣着一点儿也不破烂。

"等一等,"戴维森把他叫住,问道,"你知道我为什么一个子儿也不给你?"

乞丐不屑回答地摇了摇头。

"因为你看上去境况甚至比我还要好,"戴维森告诉他,"你跟我来。"

回到住所,戴维森拿出自己的化妆盒,开始朝那人的脸上涂抹油彩,一会儿工夫,那人就有了一副苍白的面容,脸上呈现出憔悴的皱纹,头发也被几剪子剪得乱蓬蓬的。

"你昨天挣了几个钱?"戴维森问。

"4块。"

"那好,去试试今天能否多挣几个。"

两天后,这个乞丐来到戴维森的住所,交给他5块钱。化妆后的第一天,他挣了30元钱,这个数目近乎于他从前最高所得的7倍。

没过多久,其他乞丐也纷纷前来求助。

这个演员向每个人收费两元钱。他把他们装扮成一副孤独凄苦和绝望无助的样子,提示他们恰当掌握哀诉的嗓音。

在头一个月里,他每天给18个乞丐常客化妆。一年工夫,他就搬进了一所条件良好的住宅,有了一部小汽车和一大笔银行存款。一连16 年,他忘记了自己当演员的生涯,接触了成千上万的纽约乞丐。后来有一天,纽约市政厅向他们颁布了一项禁令。这是一个不明智之举,因为这些人虽然无家可归,但是都有选举权。

一次,两万名乞丐在布朗克斯举行集会。这些人中,有 1.7 万人曾经是,或者现在仍然是戴维森的顾客。他们的首席发言人在会上宣布:"我们需要的是能为我们说话的受过教育的人。"有人提议阿伯特·戴维森,得到了一致通过。戴维森就这样成了纽约市乞丐协会的秘书长。

戴维森曾经承认,他从未梦想过这种指点乞丐行乞的行当会像滚雪球似的越滚越大。这样干了几个月后,他发现自己再难独撑下去,因此不得不去请几位演员同伴来做帮手。

这个故事告诉我们的是"乞讨也要动脑和找窍门",中国有句古话叫"盗亦有道",在我们日常的工作和学习中,没有什么是不需要动脑、遵循老一套的规则就能够很好完成的。

成功者之所以成功,因为他们善于打破传统,自创方法,并使得结果完全改观。然而,绝大多数人宁愿相信,遵守既定规则是非常重要的概念,否则,如果人人都想打破规矩,岂不是天下大乱?然而,事实上每个人都置身于变化之中。在 1993 年美国大选中,克林顿曾经说过一句话:"我们要改变游戏规则……,'而老布什总统却说:"我有丰富的经验!"也许老布什落败的一个重要原因是输在"往后看",而不是"向前看"。

当你无计可施的时候, 是不是会感到脑子里的想法如一团乱麻,然后就变得空空如也?平常人会任凭这种状况持续下去,从而转入浪费时间的发呆状态,而高情商者则会将这种状况转入一种"神驰"的状态。

神驰,是创造者最佳工作状态的体验,是人处于情绪的最佳状态,也是最完美的创造心境。在这种状态下,人已达到了驾驭情感的最高境界,因此,也最容易进入创造性的活动。

一位作曲家曾这样描述他思如泉涌时的情形:我如醉如痴,似乎自我不复存在。我曾有过多种这样的体验,好像手已不属于自己,挥洒自如。我坐在那里,目送手挥,意到笔随,曲谱一蹴而就。这就是人们对情绪情感巅峰状态的描述。在神驰状态下,情感不是自我克制,也不是墨守成规,而是意气风发,积极进取,处理眼前的工作得心应手。神驰是一种愉快至极的体验,人在神驰状态下心无旁骛,专心致志,以至于达到很高的创造境界。

神驰也是一种忘我的境界,此时,任何忧虑等消极的情绪都不复存在,抛开一切的琐事,对自己手中的事情轻车架熟,对任何变化都应付自如,自身的潜力就会发挥得淋漓尽致。神驰要求注意力高度集中,自制冷静,这样,就能使人进入创造的遐思之中,获得创造的动力,达到创造的目的。

测试:自测创造能力

美国普林斯顿创造才能研究公司总经理、心理学家尤金·劳德塞,根据几年来对善于思考、富有创造力的男女科学家、工程师和企业经理的个性和品质的研究,设计了下面这套简单的试验,试验者只要十分钟左右的时间,就可知道自己是否具有创造才能。当然,如果你需要慎重考虑一下,适当延长试验时间也不会影响测试效果。

试验时,只要在每一句话后面,用一个字母表示你同意或不同意:同意的用A,不同意的用C,吃不准或不知道的用B。但是回答必须准确、诚实,不要猜测。

1. 我不做盲目的事,也就是我总是有的放矢,用正确的步骤来解决每一个具体问题。

2. 我认为,只提出问题而不想获得答案,无疑是浪费时间。

3. 无论什么事情,要我发生兴趣,总比别人困难。

4. 我认为,合乎逻辑的、循序渐进的方法,是解决问题的最好方法。

5. 有时,我在团队里发表的意见,似乎使一些人感到厌烦。

6. 我花费大量时间来考虑别人是怎样看待我的。

7. 做自认为是正确的事情,比力求博得别人的赞同要重要得多。

8. 我不尊重那些做事似乎没有把握的人。

9. 我需要的刺激和兴趣比别人多。

10. 我知道如何在考验面前,保持自己的内心镇静。

11. 我能坚持很长一段时间解决难题。

12. 有时我对事情过于热心。

13. 在无事可做时,我倒常常想出好主意。

14. 在解决问题时,我常常单凭直觉来判断"正确"或"错误"。

15. 在解决问题时,我分析问题较快,而综合所收集的资料较慢。

16. 有时我打破常规去做我原来并未想到要做的事。

17. 我有收藏癖。

18. 幻想促进了我许多重要计划的提出。

19. 我喜欢客观而又理性的人。

20. 如果要我在本职工作之外的两种职业中选择一种,我宁愿当一个实际工作者,而不当探索者。

21. 我能与自己的同事或同行们很好地相处。

22. 我有较高的审美感。

23. 在我的一生中,我一直在追求着名利和地位。

24. 我喜欢坚信自己的结论的人。

25. 灵感与获得成功无关。

26. 争论时,使我感到最高兴的是,原来与我观点不一的人变成了我的朋友。

27. 我更大的兴趣在于提出新的建议,而不在于设法说服别人接受这些建议。

28. 我乐意独自一人整天"深思熟虑"。

29. 我往往避免做那种使我感到低下的工作。

30. 在评价资料时,我觉得资料的来源比其内容更为重要。

31. 我不满意那些不确定和不可预言的事。

32. 我喜欢一门心思苦干的人。

33. 一个人的自尊比得到他人敬慕更为重要。

34. 我觉得那些力求完美的人是不明智的。

35. 我宁愿和大家一起努力工作,而不愿意单独工作。

36. 我喜欢那种对别人产生影响的工作。

37. 在生活中,我经常碰到不能用"正确"或"错误"来加以判断的问题。

38. 对我来说,"各得其所"、"各在其位",是很重要的。

39. 那些使用古怪和不常用的词语的作家,纯粹是为了炫耀自己。

40. 许多人之所以感到苦恼,是因为他们把事情看得太认真了。

41. 即使遭到不幸、挫折和反对,我仍然能够对我的工作,保持原来的精神状态和热情。

42. 想入非非的人是不切实际的。

43. 我对"我不知道的事"比"我知道的事"印象更深刻。

44. 我对"这可能是什么"比"这是什么"更感兴趣。

45. 我经常为自己在无意之中说话伤人而闷闷不乐。

46. 纵使没有报答,我也乐意为新颖的想法而花费大量时间。

47. 我认为,"出主意无甚了不起"这种说法是中肯的。

48. 我不喜欢提出那种显得无知的问题。

49. 一旦任务在肩,即使受到挫折,我也要坚决完成之。

50. 从下面描述人物性格的形容词中,挑选出 10 个你认为最能说明你性格的词:

精神饱满的	有说服力的	实事求是的
虚心的	脾气温顺的	观察力敏锐的
谨慎的	束手束脚的	足智多谋的
可预言的	自高自大的	有主见的
有献身精神的	有独创性的	拘泥形式的
性急的	高效的	乐于助人的
坚强的	不拘礼节的	老练的
有克制力的	热情的	时髦的
有朝气的	自信的	不屈不挠的
有远见的	机灵的	严于律己的
好奇的	有组织力的	铁石心肠的
思路清晰的	精干的	有理解力的
讲实惠的	感觉灵敏的	无畏的
严格的	一丝不苟的	谦逊的
复杂的	漫不经心的	柔顺的
创新的	实干的	泰然自若的
渴求知识的	好交际的	善良的
孤独的	不满足的	易动感情的

计分表

	A	B	C		A	B	C
1	0	1	2	26	−1	0	2
2	0	1	2	27	2	1	0
3	4	1	0	28	2	0	−1
4	−2	0	3	29	0	1	2
5	2	1	0	30	−2	0	3
6	−1	0	3	31	0	1	2
7	3	0	−1	32	0	1	2

8	0	1	2	33	3	0	−1
9	3	0	−1	34	−1	0	2
10	1	0	3	35	0	1	2
11	4	1	0	36	1	2	3
12	3	0	−1	37	2	1	0
13	2	1	0	38	0	1	2
14	4	0	−2	39	−1	0	2
15	−1	0	2	40	2	1	0
16	2	1	0	41	3	1	0
17	0	1	2	42	−1	0	2
18	3	0	−1	43	2	1	0
19	0	1	2	44	2	1	0
20	0	1	2	45	−1	0	2
21	0	1	2	46	3	2	0
22	3	0	−1	47	0	1	2
23	0	1	2	48	0	1	3
24	−1	0	2	49	3	1	0
25	0	1	3	50			

第 50 题　挑选出的 10 个你认为最能说明你性格的词中,出现下列每个形容词得 2 分:

精神饱满的	观察力敏锐的	不屈不挠的
柔顺的	足智多谋的	有主见的
有献身精神的	有独创性的	感觉灵敏的
无畏的	创新的	好奇的
有朝气的	热情的	严于律己的

下列形容词每个得 1 分:

自信的　有远见的　不拘礼节的　不满足的　一丝不苟的
虚心的　机灵的　坚强的

其余的得 0 分。

你可以根据这些答案,测试一下自己有没有创造能力,是创造能力很强,还是创造能力较弱。创造力强,善于思考的读者也许立刻会从这些答案中联想到一个新问题:为什么美国的心理学家尤金·劳德塞对这 50 道题要这样打分? 这里,我们试举数例,略加说明。

有些题目初看起来,答案似乎是显而易见的。

例如第 1 题:我不做盲目的事,也就是我总是有的放矢,用正确的

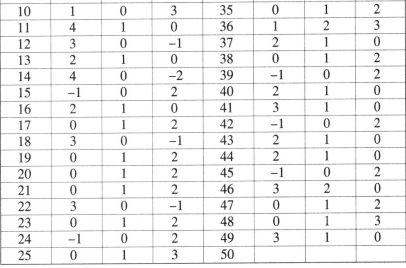

步骤来解决每一个具体问题。

对于一般人来说,这好像是天经地义、无可非议的。但是,倘若你这样回答,那么就只能得 0 分。这是因为这里测试的是一个人是否有创造能力。创造能力是一种高级的能力,它不是采用现成的方法和步骤去解决问题的能力。

从答案中,人们可以看到,有些答案对了只得 2 分,可能有些答案对了却能得 4 分。这是什么道理呢?因为这些对于每个具有创造能力的人来说,都是必不可少的。

例如第 3 题:无论什么事情,要我发生兴趣,总比别人困难。

成功圣殿的大门是向着所有人敞开的,然而,培养兴趣是登堂入室的第一步,当一个被某一研究或某一种新的思想完全吸引住的时候,他的注意力便高度集中在这一目标上,其余的东西都不感兴趣了。这时,需要探索的问题,深深地印入他的脑海,挥之不去,驱之不散,才下眉头,又上心头。正因为如此,他才能发挥他的创造能力。

情

商

创造性劳动需要有持之以恒、滴水穿石的精神。巴斯德曾说过:"告诉你使我达到目标的奥秘吧。我唯一的力量就是我的坚持精神。"因此,第 11 题答对了也可得到 4 分。

在这 50 题中,又有 3 道题一旦答错了就要倒扣 2 分。其中的原因何在呢?因为这三个问题对创造力的影响颇大。

例如第 4 题:我认为,合乎逻辑的、循序渐进的方法,是解决问题的最好方法。

第 14 题:在解决问题时,我常常单凭直觉来判断"正确"或"错误"。

重大的科学发现往往都不是按旧的思维方式获得的,需要另创新格,出奇制胜,物理学家福克说:"伟大的、以及不仅是伟大的发现,都不是按逻辑的法则发现的,而大多是凭创造性的直觉得来的"。

在这些试题中竟有五分之三,回答吃不准或不知道,竟然也能得分。这又是为什么呢?科学是在继承和发展中前进的,一个严谨的科学家总是既不相信原有的科学结论,也不过于迷信自己创立的新假说。因而,有人说,正确的思维应当处于绝对信任和绝对不信任之间,这样可以使思维保持明智、灵活和清醒。这是很有道理的。

从这 50 题的答案中,可以引出很多值得思索和研究的问题。一旦找到这些答案,那么我们就能在了解自己是否具有创造能力的同时,找到提高创造力的方法和途径。当然,首先你要判断一下自己的创造力究竟在什么水平上。将你得到的分数累计起来。

分数在 110~140 之间,说明你拥有非凡的创造性,不要荒废,你会有出色的成就。

分数在 85~109 之间,说明你的创造性很强。

分数在 56~84 之间,说明你的创造性强,但是如果不加以锻炼的话,很可能会减弱。

分数在 30~55 之间,说明你的创造性一般。

分数在 15~29 之间,说明你的创造性弱。

分数在 -21~14 之间,说明你的根本没有创造性,不妨去尝试一些按部就班的工作。

情商提高:培育你的创造能力

想象,是一个神奇的、令人难以想象的奇妙的过程。人类本身就是一个从原始到开化,从低级到高级,从愚昧到聪慧,从野蛮到文明的发展史,其根本动力就源于这种神奇的想象。没有想象,就没有世界的精彩纷呈,由想象引发的创意是个人完善的捷径,是人类腾飞的翅膀。

"有志者,事竟成。"这是创造性思考的根本。而传统的想法则是创造性成功计划的头号敌人。传统的想法会冻结你的心灵,阻碍你的进步,干扰你进一步发展你真正需要的创造性能力。以下是对抗传统性思考的方法。

首先要乐于接受各种创意。要摒弃 "不可行"、"办不到"、"没有用"、"那很愚蠢"等思想渣滓。有一位非常杰出的推销员说:"我并不想把自己装得精明干练,但我却是这个行业中最好的一块海绵。我尽我所能地去吸取所有良好的创意。"

其次要有实验精神。废除固定的例行事务,去尝试新的餐馆、新的书籍、新的戏院以及新的朋友,或是采取跟以前不同的上班路线,或过一个与往年不同的假期,或在这个周末做一件与以前不同的事情等等。如果你从事销售工作,就试着培养对生产、会计、财务等等的兴趣。这样会扩展你的能力,为你以后担当更重要的责任作好准备。

最后要主动前进,而不是被动后退。成功的人喜欢问:"怎样做才能做得更好?"想一想,如果公司的经理们总想:"今年我们的产品产量已达极限,进一步改进是不可能的。因此,所有工程技术的实验以及设计活动都将永久性地停止。"以这种态度进行管理,即便是强大的公司也会很快衰败下去。成功的人就像成功的企业一样,他也总是带着问题而生存的。"我怎么才能改进我的表现呢?我如何做得更好?"做任何事情,总有改进的余地,成功者能认识到这一点,因此他总在探索一条更好的道路。

在反抗传统性思考模式的同时,还要培养创造力。高超的创造能力是高情商的最集中体现,要提升情商的境界,就必须注重培养创造力。

首先,要珍惜自己的好奇心,爱默生说过:"人们喜欢猎奇,这就是科学的种子。"这一点在孩童时期就不容忽视,要保持对世界的神秘感,有开动脑筋发问的习惯,这样才不至于扼杀自己的创造力。

第二,不要轻视点滴的创造而不屑为之,培养创造力要从所学的所做的事情或事业中一点一滴地做起,因为现在的一切美好事物,无一不是创新的结果,忽视现在,也是对创新的一种否定。

第三,要开阔眼界,广泛涉猎,培养多方面的兴趣爱好,与各种不同环境不同职业的人接触、交往。

第四,从培养人格做起,叔本华说:"在所有我们所做和所受的经历当中,我们的意识素质是占着一个经久不变的地位的;一切其他的影响都依赖机遇,机遇都是过眼云烟,稍纵即逝,且变动不已,惟独个性在我们生命的每一刻钟是不停工作的。"所以,只有培养独立完善的人格,才能成为创造型的人才,才能体现真正伟大的人格。

第五,培养创造力最重要的是靠主观因素,追求个人的自我完善,才能使创造力爆发。

最后,创造力的培养要有一个"天高任鸟飞,海阔凭鱼跃"的环境。没有限制才能创新。

既然我们把创造力界定为情商的最高境界,那么这里的创造力就不单指自然科学的发明创造,在完善自我、人际交往等各个方面,这种独创性也是必不可少的。每一个人接触的外部世界都是不同的,或大或小,都会有所差异。这就为每一个个体的独创性提供了前提条件。人的自我完善和交往之道永远没有任何的固定模式,人是一种复杂的情感动物,情感本身就是变化莫测,难以捉摸的,更何况其中还牵扯到个人所处的自然环境和社会环境的差异。由此可见,每个人都是提升情商境界的可能个体,而且情商的境界也是没有桎梏,永无止境的。只要个体意识中有创新的思想,每个人都能做一个有独立个性的情商高手,开创出一个异彩纷呈又与众不同的境界!

第3节 冲突管理

减少意见相左,协调出共识之能力

哲学家认为矛盾时无处不在的,正如俗话所说:居家过日子,没有马勺不碰锅沿的。如何化解矛盾,是一门艺术。情商高的人,可以巧妙地应对矛盾和尴尬,使人们暂时搁置冲突,达到求同存异,和谐发展的双赢局面。

一笑泯恩仇

幽默不仅能消除烦恼、增添快乐、活跃气氛,还能解决纠纷,化解尴尬。每个人的心里都会有些痛处,给人一碰就容易心浮气躁。这时不妨唤醒你潜藏的幽默感,收集一些巧答妙对来应付那些难听的话。

丘吉尔说过:"除非你绝顶幽默,否则就无法处理绝顶重要的事,这是我的信念。"杰出政治家就经常用幽默化解对手的攻击或一些不便回答的问题。丘吉尔任国会议员时,有某女议员素行嚣张。一天,她居然在议席上指着丘吉尔说:"假如我是你老婆,一定在你咖啡杯里下毒。"

狠话一出,人人屏息。却见丘吉尔顽皮地笑答:"假如你是我老婆,我一定一饮而尽!"结果,全体议员包括那位女议员都哄堂大笑。寓讽刺于回答,果然立刻化戾气为祥和。

美国前总统林肯的长相一般,众所皆知。有一次,他针对有人谩骂他是两面派的这个问题,在集会上说:"有人骂我两面派,我若是还有另一张脸,我还会愿意带这张脸来参加集会吗?"一语双关,博得一片喝彩。

拿破仑的身高只有 168 厘米。当年他担任意大利军总司令时,曾对比他身材高大的部下说:"将军,你的个子正好高出我一个头;不过,假如你不听指挥的话,我就会马上消除这个差别。"言外之意,不服从命令的军人就会掉脑袋。严厉中,显示出他的幽默和自信。

英国上议院议员史纳托夫·里德有次发表演说。正当听众们屏息凝视地倾听之际,忽然席间一名听众座椅的脚折断了,人也跌坐在地上。正当他感到尴尬万分之际,里德却立刻说道:"现在各位应该可以相信,我所提出的理由足以'压倒'每个人吧!"在众人哄笑中,他轻易地为对方解了围。

毫无疑问,笑就像香水,向别人洒得多,自己也必会沾上几滴。塞万提斯说过:"人类是惟一会笑的动物,别让这份天赋生锈了。"法国文学家伏尔泰于1727年访问英国。他发现英国人对法国人非常仇视,在街上走很危险。

有一天,一群英国人向他怒吼:"杀了他,把这法国人吊死。"

伏尔泰很富机智幽默。他停下脚步,对着群众说:"英国人!你们因我是法国人而要杀我,难道因为我不是英国人而受的惩罚还不够吗?"英国人听了哈哈大笑,居然一路送他安返寓所。

幽默,是最能去除难题的雷管,具有把悲剧转为喜剧的力量,而且只在你一念之间。心胸开朗的人,总能自信地幽自己一默,给别人带来欢笑。

随着年岁渐长,我们肩负的责任也更繁重,未清的账单、待洗的衣服、失落在年轻时代的爱情遗恨,统统的这些都成为我们无法幽默的缘由。很多人认为幽默的方式是不正式的,经常"嘻皮笑脸"的人成不了大事。那上面的这些例子能否让你的观点有所改观呢?我们总是把事态看得过分严重,以致忘了该如何笑,如何处之泰然。

著名的讽刺专家林克雷特建议大家:"当你生气时,试着想象对方

正裸着身子。"这句话的真正含义是指:当你为一个难缠的人加上一幅幽默的影像时,你就掌握了解决问题的绝对优势。

幽默就是用一种趣味的角度看待发生在你身上的种种。只在一念之间,悲剧变喜剧。请在自己的心里洒下幽默的种子,不用多久,你会发现,自己是世界上最富有的人!

测试:你处理冲突的水平如何

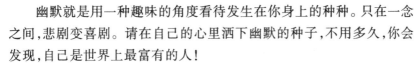

下面一组测试题可以帮你了解你处理冲突的水平。请在4分钟内将选择的答案号填入每题之后的括号中,答题时请不要乱猜乱填,也不要思前想后,尽量按自己真实的想法一次填完即可。

1. 办公空间有限,你不得不将一位精力充沛的供销专家安排在打字员办公桌旁。这位专家是公司元老,工作一向出色,年薪也相当高;但他常迟到,不到休息时间便去喝茶小憩,桌上总是乱糟糟的,而这会给那些优秀的打字员造成不良影响。至于那些刚从商业学校毕业、工资较低的打字员更容易受影响,你将怎么做?　　　　(　　　)

A.解雇专家。

B.如果打字员不守规章,就解雇她们。因为商业学校的毕业生比熟练的供销售专家容易找得多。

C.无选择(即不想选任何答案)。

2. 你与一个下属离开一家餐馆,发现餐馆少找了你们三角钱。你收入颇丰,时间又宝贵,这时你怎么办?　　　　(　　　)

A.这不只是钱的问题,还关系到原则。应该回转去提意见,如可能,收回缺额。

B.忘掉这事。

C.叫下属去提意见。

D.无选择(即不想选任何答案)。

3. 你是个从普通职员提升起来的经理,工作很繁忙,同时你的部门有一系列复杂的日常事务,你知道自己比手下任何人都更胜任这些事务,那么,你选择下列哪种做法?　　　　(　　　)

A.对每件具体工作事必躬亲。

B.把这些事分别派给几个下属去干。

C.无选择(即不想选任何答案)。

4.你知道这位可能成为你客户的人是个蝴蝶标本收集者,你带着业务目的拜访他。你拿出一个标本说:"听说你是蝴蝶标本专家,这是我孩子捕到的一只蝴蝶,我把它带来是想请教您它是什么蝴蝶。"你预计可能发生哪种情形? (   )

A.他会觉得你有些冒昧、不合时宜。

B.他会对你产生好感。

C.无选择(即不想选任何答案)。

5.你希望一位执拗的同事按你的建议去做,应怎么办? (   )

A.尽量使他相信这建议至少有一部分是出启他的头脑。

B.只考虑这建议会给你带来荣誉。

C.无选择(即不想选任何答案)。

6. 假设自己是一家商店的经理,一位顾客闯入你办公室怒冲冲地发泄不满,你意识到完全是她的错,应如何走第一步棋? (   )

A.努力迁就她的错误看法,对她表示同情。

B.心平气和地向她指出其不满是误会造成的,不是商店的责任。

C.告诉她去找顾客意见簿或专司此职的管理人员,如果要求是正当的,问题会得到解决;而找你是没用的。

D.无选择(即不想选任何答案)。

7. 有位女士来你店里买鞋,由于她右足略大于左足,总也找不到她能穿的鞋,你觉得应当解释一下。你将如何措辞? (   )

A.女士,您的右脚比左脚大。

B.女士,您的左脚比右脚小。

C.无选择(即不想选任何答案)。

8. 你是老板,一名雇员向你献上有关提高效率的计策,而他的建议是你过去已想过并打算实施的。那么,下面哪种处理方法较好?

(   )

A.告诉他你真实的想法,但也对他给予充分的肯定。

B.闭口不提你以前的想法,只赞扬他的合作精神。

C.无选择(即不想选任何答案)。

9.下面哪种说法比较好? （　　　）

A.我恰巧到附近有事,因此顺便来和你谈点事儿。

B.我专程前来找你谈这件事。

C.无选择(即不想选任何答案)。

10.善于言辞是优秀业务人员的标志,假定你和一位才学高深、掌握数国语言的博士交谈,你会选择哪类风格的句子来表达?
（　　　）

A.这是常见的事。

B.这属于每日必有之常事。

C.这种事发生得很频繁。

D.无选择(即不想选任何答案)。

根据专家的研究,每道题目的最佳答案是:

1.B　　2.B　　3.B　　4.B　　5.A

6.C　　7.B　　8.A　　9.A　　10.A

对照答案,每答对一题得 3 分;漏答一题减 3 分;选了两个以上"无选择"者减 5 分;连一个"无选择"也未选的减 5 分,最后计算出你的总得分。

得分为 27~30 分的,是优秀的冲突协调者。你不是靠盲目的鼓励首肯,或不容分说的高压手段来解决问题,而是长于以情动人、以理服人,用高超的技巧来使目的得以实现。你有资格成为一个大团体的领导者、管理者。

得分是 17~24 分的,属于一般的公务关系协调者。平常情形下,你能够以合理适度的方式使他人接受你的意见并按你的意图去干。但如若时间紧迫或情况特殊,你往往会做出一些不当的决定。这说明你可能不太胜任大范围内公务关系的管理与协调。

得分为 0~15 分的,是拙劣的公务关系协调者。你不了解在处理工作关系时"因势利导"的原则,对人的观察研究也不够,尤其忘记了自己的工作不是处理这些关系的,而把自己过分地"投入"进去,这就很难得心应手地运用技巧来协调好各方面的关系。你与管理者无缘,只适于从事具体的专项工作。

情商提高：如何运用幽默

有一次，柯立芝总统任期将满时，声明不再竞选总统。当时新闻记者总是团团把他包围，要他详细说明原因。有一位记者特别固执，非要问出个究竟："为什么你不想再做总统？"

结果他得到了柯立芝总统很幽默地回答："因为没有升迁的机会。"

幽默是一种生活的智慧，也是高情商者让自己快乐、让他人开心的一个重要手段。但是一定要注意幽默的尺度，把握好了，就能大家开心，把握不好，反而会落个不欢而散。关键在于如何运用智慧的幽默。如果能用智慧做幽默的保护神，就不易伤害别人的心，使周围人的生活时时刻刻充满了风趣和快乐。那么，你便是一个令人快乐的成功交际家。

有些朋友经常抱怨自己学了开玩笑的技巧后，却往往弄巧成拙，将玩笑开得太过分，经常伤害到亲人和朋友的心。因此，玩笑过头和玩笑禁忌千万要掌握。生活需要欢乐和笑话的阳光，但阳光过于强烈，容易摧毁友谊和爱情等那些过于娇嫩的花朵。

在社交场合中，开开玩笑是为了活跃气氛，显示出你智慧的幽默，但事情往往有两方面，有其利也有其弊处，玩笑过了头，乐极生悲，搞得大家不欢而散，那就不是成功的交际了。

那么如何运用智慧的幽默呢？

开玩笑时首先确定你的朋友类型。一般来说，朋友类型可分三种，一种是机智狡猾型，另一种是大智若愚型，还有一种是介于二者之间。开第一种人玩笑时，这种人不会让你占任何便宜，会组织语言进行反攻，使你无法得逞；开第二种人玩笑时，他会显得若无其事，与大家一道欢笑，或者装傻，似乎不懂得此事。因此，这两种人的玩笑都可以开。

应该注意的是你的第三种类型的朋友。这种人被人笑过之后很容易恼羞成怒，搞得大家不欢而散，所以，开最安全的玩笑必须事先了解朋友是属于哪种类型的人，这样，开起玩笑，既无伤大雅，又热闹非凡，显得沟通水平特别的高。

开玩笑时还要注意一点就是：不要把自己的快乐建立在别人的痛苦上！因此，开玩笑时，不应取笑他人的生理缺陷，例如驼背、断足、麻脸等等；也不要笑别人考试不过关，做生意倒了霉，或别人衣衫褴褛……对于这些东西，你应该显示你仁厚的同情心，去安慰、鼓励他们，让他们觉得你是个有情有义的人，他们会对你产生信任及尊敬，无形中你便建立了自我威严。

开玩笑时，切忌不要开一些下流低级趣味的玩笑。对着陌生人的面，或对着有女士在的场所大开特开低级下流的玩笑，人们不仅不认为你是个沟通高手，反而会认为你浅薄的小人。

有些人喜欢用自己的缺点或过失作为幽默的材料，这也是一种豁达的智慧。林语堂说过，智慧的价值，就是教人笑自己。自嘲并非贬低自己，而是用一种趣味的角度，看待发生在自己身上的种种。闻名国际的笑星卓别林，习惯以出场时不慎摔了一跤的滑稽动作，招来观众的哄堂笑声。

一个具有幽默感的人，常拿自我缺点来开玩笑，同时也能够在别人取笑他之前，就赶快先取笑自己。

要想成为一个真正幽默的人，必须要富有广博的知识。虽然不必对任何问题都像学者那样研得很透，但起码应知道些皮毛。只有知识和见闻极其丰富，才能通达事理，分析透辟，居高临下，入木三分。语言表达上还要做到纵横捭阖，运用自如，妙语连珠，诙谐动人。

懂得越多，你与别人交谈时可谈的话题就愈多。一个懂得交际的人，要能够见人说人话，见鬼说鬼话。也就是要懂得交谈对手的兴趣所在，这样双方才能谈得来，谈得比较投机。而这些都要有广博的知识做后盾。

幽默知识可分为两种。一种是与幽默暂时或表面上没有直接关系的，上至天文，下到地理，国家大事，世界风云，文史哲经等等全都属此类。它们虽然暂时与幽默关系不大，但是它们能够潜移默化地培养你的素质、修养，为你的谈吐增辉。另一种是幽默的趣事、趣话、小笑话、动作、漫画等。

多积累这些素材，反复记忆，并加以改造，变成适合于你的幽默，那么到时幽默就会如泉水一般汩汩涌来。

另外还要具备趣味的思想，用幽默去感知世界，便具有了一种趣味的思想，在趣味中体验生活，对索然无味的人生提出新的课题。弗洛伊德是精神分析学家，开始人们视他的思想为异端邪说。随着他的名气越来越大，不少有钱的患者开始接受他的治疗。这时税务机关注意他了，最终给他去信，要他报一报这个阶段的账目，以便确定纳税额。

弗洛伊德收到信后，说："啊！终于有个官方机构重视我的工作了。"

本来刚开业就受到税务机关的检查是件不愉快的事,但弗洛依德运用趣味的思想,从另一个角度思考,发现了事情有趣的也是有价值的一面,令人忍俊不禁。

趣味的思想,其实就是抓住一个情况,把它由内向外翻或从上到下翻,颠倒过来,站在新的角度去看它,看到它趣味的一面,即使现实上没有,也能看出来。

培养幽默的思想,首先,要在角度和习惯上下功夫,只要从传统的观念中解脱出来,幽默这面镜子,就会像一个哈哈镜,照得你和他人快乐无比。

把你的聪明机智运用到智慧的幽默中来,使别人和自己都享受快乐,那么,你就得到更多喜欢你、钦佩你的人,赢得支持和关心你的朋友。

第4节 建立联系

培养及维持人脉

有这样一句箴言："多个朋友多条路,多个冤家多堵墙。"这句话在世界上每个国家都有相同意思的版本。多交朋友,少树敌人,对每个人都是有意义的忠告,处理好人际关系的重要性已得到公认。

社会关系是资源,也是财富

社会关系像煤炭、石油一样,是一种资源,而且是一种不仅可以再生,还可以几何数量成长的资源。因此,社会关系对于人们来说是不可忽视的巨大财富。香港富豪陈玉书之所以成为"景泰蓝大王",就在于很注重建立自己良好的关系网,并且凭此网身经百战,每遇困境都能渡过难关。当年他初到香港时,凭自己的顽强奋斗站住了脚,但这与他的宏伟理想还相差甚远,为此他日夜苦思创业大计,不想一天的奇遇却彻底改变了他的命运,使他走上迅速发达之路。

1975年的一天,陈玉书闲来无事,便带儿子去维多利亚公园游玩,碰巧遇到了熟人,经熟人介绍,认识了印尼驻港领事的妻子,更巧的是这位领事妻子与陈家颇有渊源,从此陈玉书便与领事一家结下了良好的关系,建立起了一张最奇妙的关系网。不用说这张网的效力是非常大的,因为它可以帮助陈玉书办别人不能办的事。在当时,得到一张印尼的商务签证很不容易,陈玉书就凭着与领事的关系,为那些办签证的人服务,从中收取服务费。第一次办成功时,陈玉书就得到了5万元的报酬,令他喜出望外。于是他干脆办了一家公司,正式对外营业,做起签证生意来。通过签证生意,他不仅赚到了钱,而且使他得以同各行各业的人打交道,尤其是与其中的不少商人建立起了朋友关系。利用这些朋友关系他又了解了不少商业行情,利用其中的机会进军大陆贸易,开辟了事业的新天地。

陈玉书的经历充分体现了"关系"对人生的巨大推动力。我们知道陈玉书利用与政府官员的关系取得了成功。在这方面,哈默的经历恐怕更富有传奇色彩。

美国亿万富翁哈默素有"点石成金的万能商人"之称,他的事业起步与他和列宁的关系紧密联系在一起。

哈默的父亲是个俄国移民,一个热情的社会主义者,美国共产党的创始人之一。哈默父亲的身份使哈默在访问苏联时得到了特殊的待遇。哈默第一次访问苏联正值苏维埃内战时期,由于连年的国内战争和外国武装力量的干涉及封锁,苏联经济已凋敝不堪,国内食品供应非常紧张,而当时美国粮食连年丰收,价格相当便宜。尽管哈默从未做过粮食生意,但他见此情形,决定要做一笔跨国大买卖,即从美国购买粮食,卖给苏联。哈默的建议得到了列宁的赏识,列宁接见了哈默,并指示外贸部门确认这笔贸易。哈默与列宁因此缔结了真挚的友谊,通过这次贸易他也赚取了很多钱。

1921年哈默在苏联做完一笔生意准备回国时,偶然想起要买一支铅笔,这个偶然的想法又给他创造了绝好的机遇。他到商店一问铅笔的价格不禁大吃一惊,每支铅笔竟卖26美分!而当时在美国不过两三美分而已。吃惊之余,一个设想打消了哈默回家的念头。

尽管他对制笔业一无所知,但他毅然决定在苏联建立一个铅笔厂。并顺利取得了在苏联生产铅笔的许可证。铅笔厂建成后,第一年的产值就达250万美元,第二年迅速增长到400万美元,到1926年,产量已达 1 亿支,不仅满足了苏联市场的需求,还出口到十几个国家和地区。从这个铅笔厂,哈默赚取了几百万美元的财富。

从上述事例中,我们不难看出,"关系"是他们能取得上述成功的关键因素。

现代心理学和社会学的研究已证实,人际关系具有四大功能或者说四大作用:

第一,产生合力。平时,我们常说的"人多力量大","团结就是力量","人心齐,泰山移",说得就是这个道理。在现代社会,分工细化,竞争残酷,单凭一个人的力量是根本无法取得事业上的任何成就的,只有借助众人之力,才有可能创造辉煌的人生,而要获得众人的帮助,使之上下一心,攻克目标,那就必须学会搞好人际关系。

第二,形成互补。俗语说:一个篱笆三个桩,一个好汉三个帮。一个人,即使是天才,也不可能样样精通。所以,他要完成自己的事业,就必须善于利用别人的智力、能力和才干。然而,用人并不仅仅是一种雇佣与被雇佣的关系,而最大限度地调动下属的工作积极性,就必须掌握一定的人际技巧。

在一个人开拓自己的事业时,总要遇到自己力所不能及的困难,这时,良好的人际关系则会助你一臂之力,为你扫清障碍。

哈默在苏联建立铅笔厂的时候遇到了一个难题,就是当时苏联还没有制铅笔的技术。哈默了解到德国纽伦堡的德伯铅笔公司是当时世界铅笔生产的垄断者,要获得技术,就必须去德伯公司求经,但是德伯公司对这项技术严守秘密,拒不外传。哈默在德伯碰了钉子后,并未灰心,他明察暗访,终于得知一名懂这项技术的叫乔治·拜尔的德伯公司

的工程师对公司不满,于是哈默私下里找到乔治·拜尔,许以重金请求他去苏联帮助自己,得到应允后,哈默把从德国购买的机器拆散,带着乔治·拜尔一家一同来到苏联。

第三,联络感情。人是一种感情动物,他必须时刻进行感情上的交流,他需要获得友谊。在迈向成功的道路上,要想坚持到底,仅仅依靠信念的支撑是不够的,还必须有友谊的滋润。良好的人际关系会使你获得一种强大的力量和热情,在成功时得到分享和提醒,在挫折时得到倾诉和鼓励,这必将会有助于你心理的有益平衡,从而有勇气地迈向新的征程。

第四,交流信息。在现代社会中,可以说,掌握了信息就等于是把握住了成功的机会。一条珍贵的信息可以使人功成名就腰缠万贯,而信息闭塞也可能会使人贻误战机,遗憾终生。

广交朋友,善处关系,是一条十分有效的获取信息的途径,这样,你就能够在竞争中始终处于一种领先的地位,然后再取得事业上的成功。

社会关系需要维护

社会关系不是雨后春笋,自己会长出来,不需要人的料理。社会关系不仅需要培养,也需要维护。否则"人一走,茶就凉",会让已经做出的努力付之东流。

有"红色资本家"称号的王光英就非常善于处理人际关系,这使他的生意也充满了人情味儿。

王光英领导下的光大公司有很多的外国朋友,这其中,既有外国的副总统、财政部长、王子,也有鼎鼎大名的美国前国务卿基辛格和日本前首相竹下登。

光大公司刚刚成立,王光英就想到,应利用基辛格的特殊身份和国际影响,推动光大公司一开张就能走向世界,于是,他便向基辛格发出了邀请,基辛格欣然应邀,当他听到王光英"凡有利于中美友好的,我都做;凡不利于中美友好的,我都不做"的许诺时,基辛格也允诺:"那么,今后你要我办事,我不要你的钱。"以后,基辛格多次访问光大公司,为光大公司快速地与世界各国建立广泛的联系起到了很重要的作用。

此外,王光英与日本前首相竹下登也有着很好的私人交情。由于这种交情,竹下登就任首相后,对当时日本驻华大使中岛说:"中国有个王光英。你得去看看他,问一问我们日本人能不能在什么事情上为他效劳。"三菱信托银行在华投资,其中对光大公司的投资在中国数第一,这是王光英用人情做生意的有效证明。

王光英非常重视私人友谊的建立和维持,他常常做出一些超越公务关系,表示私人友情的举动。竹下登刚当上首相时对王光英说,竞选实在太紧张,突然秃发。记在心上的王光英回国后,马上买了20瓶毛发再生精送给竹下登。此外,他还送过竹下登一件中国瓷雕,在一只瓷盒上刻了竹下登的照片。他说:"这些礼品并不贵重,它只表示情意。"王光英称之为"动脑筋的礼品。"

王光英不但重视与上层人物的交往,与普通客人同样也是有情有义。

一次,王光英接待了一位从德国来光大公司谈生意的人。客人下机时恰逢大雨,那位客人浑身湿透了。王光英一见立刻叫人把那位商人的衣服弄干,烫平,10分钟内送还给客人。

王光英说:"买卖不成人情在,这是中国老工商业家的法宝之一。生意人要讲究商业渠道,但同时必须讲究人情渠道,有时人情渠道比商业渠道更重要。板起面孔,硬碰硬,打官腔,一定做不成生意,我是商场中人,不是官场中人。俗话说商场如战场,但商场毕竟不是战坊,商场要用心、用情,有时你的一丝友情,其效果往往会比发动一个装甲师还灵。"

香港富豪李兆基同样也深谙此道,他的哲学是:对长期合作的伙伴,一定要让彼此皆大欢喜。

1988年的一天,建筑部的经理偶然向李兆基提及,说承接恒基集团一项工程的承包商要求他们补发一笔酬金,遭到建筑部的拒绝。

李兆基便问:"那个承包商为什么要出尔反尔呢?一定有他的原因吧?"

情商

"是的"。建筑部的人回答，"他说他当初投标时计错了数。直到后来结账时，才发觉做了一单亏本生意。"

本采，这桩买卖是签了合同的，有法律保障，大可不必对此进行处理。

李兆基却说："在市道不俗时，人人赚到钱，惟独他吃亏，也是够可怜的。承包商是我们的长期合作伙伴，反正这个地盘我们有钱赚，也就补回那笔钱给他，皆大欢喜吧！"

由此可见，注重人情投资也会使你获利。无论做什么事，一定要讲点儿人情味儿。

李兆基之所以能成为亿万富翁，做出那么大的事业，这与他善于运用人际关系的技巧有着十分重要的关系。凡跟李兆基工作过的人都对他赞不绝口，认为他是最照顾伙计利益的好老板。

为了取得同事的精诚合作，李兆基总给几位左右手一些机会，让他们专注于一些十拿九稳的房地产计划上，这样可以让他们能赚到比薪金多几倍的报酬。使同事分享业务的盈利，感觉做生意的乐趣，对士气肯定会有良好帮助，这是李兆基的一贯态度。

有一次，李兆基就拿出某地产项目的15%股份让身边的5位同事加股，结果，有一人没那么多钱，只好把股份放弃了2%。

李兆基知道了这件事，在问明原委之后，对他说："我有机会赚1万，都希望你们赚100。这样吧，我把我名下的2%股份让给你，股本暂时你欠我的，将来赚到钱，你再偿还给我吧！"

后来，大家都赚到了钱。对于李兆基来说，真是本小利大，付出小小的钱，就能赢得一团和气，合作愉快。对于下属，李兆基同样是善用人情，巧妙关怀，扶危济困，赢得一片忠心和无限感激。

有一次，李兆基身边一位任事多年的下属因自己炒楼炒股失败，血本无归，又被证券经纪行强制平仓，搞得欲哭无泪，走投无路。

李兆基知道了这件事，也不等对方开口，马上叫来会计，嘱咐说："替他还债吧。"

当时李兆基的恒基集团也欠下银行很多的债务，可以说是自顾无暇，而市场又不景气。会计便忍不住问了句："在这个时候帮他吗？"

李兆基说："就是在这个时候，我不帮他，还会有谁帮他？"

这一做法自然是让那位下属感激涕零，做起工作来更加勤恳卖力了。

和气生财，这是李兆基成就霸业的秘诀之一。不论对上对下、对内对外,良好的人际关系有时就是一笔巨大的投资,必然会在你需要的时候给你丰厚的回报。

测试:你善于编织社会关系网吗

1. 出门旅行度假时,你——
   A. 通常很容易就交到朋友。
   B. 喜欢一个人消磨时间。
   C. 希望结交朋友,但难以做到。

2. 和一个同事约好了一起去跳舞,但下班时你感到精疲力尽,这时同事已回去换装,你会——
   A. 你决定不赴约了,希望他(她)谅解。
   B. 仍去赴约,尽量显得情绪高涨。
   C. 去赴约,但询问如果你早些回家,他(她)是否在乎。

3. 你与朋友的友谊能保持多久?
   A. 大多是日久天长式。
   B. 有长有短,志趣相投者通常较长久。
   C. 弃旧交新是常有的事。

4. 结交一位朋友,你通常是——
   A. 由熟人朋友的介绍开始。
   B. 通过各种场合的接触。
   C. 经过时间、困难的考验而定交。

5. 你的朋友,首先应——
   A. 能使人快乐轻松。
   B. 诚实可靠、值得依赖。
   C. 对我有兴趣、关注我。

6. 你的表现是什么样的?
   A. 我走到哪儿就把笑声带到哪儿。
   B. 我使人沉思。

情
商

C. 和我在一起,人们总是随意自在。

7. **别人邀你出游或表演一个节目你往往——**

    A. 找借口推脱。

    B. 兴趣盎然地欣然前往或允诺。

    C. 断然拒绝。

8. **与朋友们相处,你通常的情形是——**

    A. 倾向于赞扬他们的优点。

    B. 以诚为原则,有错就指出来。

    C. 不吹捧奉承,也不苛刻指责。

9. **如果别人对你很依赖,你的感觉是——**

    A. 总的来说,我不在意,但如果他们有一定的独立性就更好了。

    B. 我喜欢被依赖。

    C. 避而远之。

10. **走入一个陌生的环境,对那些陌生人,你——**

    A. 常能很快记住他们的名字和某些特点。

    B. 想记住这些信息但失败时居多。

    C. 不去注意这些东西。

11. **对我来说,结交人的主要目的是——**

    A. 使自己愉快。

    B. 希望被人喜欢。

    C. 想让他们帮我解决问题。

12. **对身边的异性,你——**

    A. 只是必要的情况下才去接近他们。

    B. 与他们互不来往。

    C. 接近他们,彼此相处愉快。

13. **朋友或同事劝阻批评你时,你总是——**

    A. 只能部分地接受。

第六章 人际关系管理

B. 断然否决。

C. 愉快地接受了。

14. 在编织你的人际网时,被考虑的人选一般是——

A. 我的上级及权势者。

B. 诚实心地善良的人。

C. 社会地位不超过自己的人。

15. 对那些精神或物质上帮助过你的人,你——

A. 铭记在心,永世不忘。

B. 认为是朋友间应该的,无须拘泥小节。

C. 时过境迁。

根据下面的计分表为自己计算总分。

题号	A	B	C
1	1	3	5
2	5	1	3
3	1	3	5
4	5	1	3
5	1	3	5
6	3	5	1
7	3	1	5
8	1	5	3
9	3	1	5
10	1	3	5
11	1	3	5
12	3	5	1
13	3	5	1
14	5	1	3
15	1	3	5

总分为 58~75 分的人,你结网的技能较差,你的郁郁寡欢是比较明显的。你常常使自己独自徘徊于众人之外,颇有拒人于千里之外的意味,你过去的绝大多数行为都在向人发出这种信号。这种定势一经形成,你即使想走回人群,也比较难。因为你的形象给人的印象已经形成。切记,再强的人也有软弱需要他人帮助的地方。

总分为 30~57 分的人,你编织社会关系网的水平中等。你会有不少相处得不错的朋友,但出于各种原因,真正与你剖腹相待的知己却不多,似乎总有层东西隔在你们之间,你应该找找原由所在。

总分为 15~29 分的人,恭喜你!你是个结网能手。你凡事处理得当、合情合理,很有艺术;但又不八面玲珑、圆滑逢迎。你的所作所为处

情
商

处透着诚实坦白的魅力,无论你走到何处,笑脸和友善总在你周围。

情商提高:不要把自己孤立起来

1545 年,意大利的寇西默一世公爵为了让自己名垂不朽,决定委托人绘制佛罗伦萨圣罗伦教堂的壁画。在众多的候选人中,他最后挑选了庞托莫。

庞托莫不希望别人看到他伟大作品的创作过程,于是把自己封闭起来,从来不见外人。他自信米开朗其罗也不如他。

他在礼拜堂工作了 11 年,在此期间,他很少离开,而且惧怕和人接触。不幸的是,壁画还没有完成庞托莫就去世了。后来,人们看到的这些画比例完全不对,画面交叠,不同故事的人物并列在一起,数量之多令人眼花缭乱。

庞托莫太执迷于细节了,丧失了构图的整体意识。这 11 年的创作非但没有将庞托莫的绘画生涯推向高峰,反而毁灭了他,他把自己困在封闭的屋子里走不出来了。显然,对于创作艺术与社交艺术来说,离群索居是致命的。

人不能脱离群体而存在,这是经过科学证明的。因此,必须与他人保持频繁的接触,只有这样才能让你在社交中脱颖而出。优越而从容的技巧是在与人交往的过程中逐渐培养起来的,离群索居只能导致孤立。那些自命不凡的人孤立地生活在自己的世界里,他们没有意识到自己的渺小与局限。这种孤立的境地使他们更加孤陋寡闻。

法国国王路易十四为自己建造了著名的凡尔赛宫。凡尔赛宫如同蜂巢一样,所有的设计都围绕着国王一个人。居处四周环绕着贵族的居所,职位越高距离国王越近。

为什么路易十四要建立这样的宫殿呢?原来,路易十四在激烈的内战"投石党运动"落幕之际开始掌权,这场战争就是贵族煽动起来的。随着国王权利的日益强大,贵族们受到了相应的限制,他们越来越怀念昔日的封建制度。贵族输了内战,内心充满了对国王的不满。

凡尔赛宫的建造,并不仅仅是国王奢华颓废的表现,而且是控制贵族的一种手段。凡尔赛宫建成以后,曾经不可一世的贵族都变成了讨好国王的小人物。从此,国王牢牢地控制了权利。

宫廷生活的安排是让皇宫里所有的能量都向国王流动。路易身边总是随侍着大臣和官员,全都想要听取他的意见和判决。对于他们所有的问题,路易通常回答:"我会考虑。"

如圣西门所指出的:"只要他转向一人询问任何问题,说句无关紧要的话,所有在场的眼睛都会转向这个人。这是无上的荣耀,声望也随之升高了。"

他还写道:"国王不仅使所有地位崇高的贵族出现在他的宫廷里,也同样要求次一等的贵族。在欢迎仪式上、用餐时、凡尔赛宫的庭院里,他总是眼观四方,注意所有动静。若是最显赫的贵族没有长久住在宫里就会冒犯他,那些从未或是几乎不曾出现过的贵族更会招惹他满心不快,一旦这些人有所请求,国王会傲慢地表示:我不认识他。这句断语永不更改。"

贵族们围在国王身边,他们毫无隐私可言。路易十四已经领悟到孤立他们是控制权力的最好办法,这样可以避免阴谋在黑暗中形成。就这样,在路易十四统治期间,这种相对和平与安静的时光一直维持了 50 年。

玛雅基维利曾论证过,在严格的军事意义下,建筑堡垒是一项错误。堡垒会变成力量孤立的象征,成为敌人攻击的目标。原始设计用以防卫的堡垒,事实上截断了支援,也失去了回旋的余地。堡垒可能固若金汤,然而一旦将自己关在里面,人们都知道你的下落,你就会成为众矢之的。围城不见得要成功地攻破,围困就足以将敌人的堡垒变成监牢。由于空间狭小而隔绝,堡垒更容易受到瘟疫和传染病的侵袭。在战略意义上,孤立的堡垒不但没有防卫功能,事实上,制造出的困难胜过了它能解决的问题。

情
商

人类在本性上是群居的动物,权力必须依赖社交互动与四处周旋而来,想要让自己有足够的影响力,必须将自身置于核心地位,也必须注意周围的一切动静。大多数人在受到威胁时才会意识到危险,一旦面临这种情况,他们倾向于隐退,摆出防御的阵势,深筑堡垒来寻找安全感。然而,这么一来,他们就得依赖越来越小的圈子提供资讯,无法清楚了解四周的动静。这样，不但丧失了机动性，而且更容易成为受攻击的目标，还容易让人产生偏执妄想。在战争以及绝大部分策略游戏中，孤立往往是挫败与死亡的前兆。

在环境不确定甚至十分危险的时刻，人们必须战胜想要退缩的欲念，反其道而行之，让自己更容易与人交流，不忘旧战友，结交新盟友。逼迫自己进入更多形形色色的圈子里，这是自古以来掌权者的秘诀。

法国政治家塔里兰出身于贵族家庭，为了了解外界的动向，他非常注重巴黎市井间发生的事情。他从不把自己封闭在一个狭小的圈子里，总是不断地和外界接触。因此，在一次次危机到来的时候，例如，内阁垮台，拿破仑倾覆以及路易十八退位，他都能安然度过动荡的乱世，甚至还能从中得到利益。

自古以来，掌权者的秘诀就是在环境不确定甚至十分危险的时刻，不仅不退却，反而迎难而上，和更多的人打交道。权力是人创造出来的，但其影响力的扩张却需要与人接触。千万不要把自己陷入孤立的境地。广泛的社会交往可以让你在任何时候都不会感到孤立无援。

长期的离群索居会让你的思想偏离正常状态。那些自命不凡的人或许可以通过沉思默想掌控大局，但是他们却无法意识到自己的局限，而且孤立的状态一旦形成就很难改变。因为他们在不知不觉中，已经把自己深深地陷入了与人隔绝的境地。即使想回到人群中，也因为失去了许多交流的机会而变得非常困难。